Chère lectrice,

Nous y voilà enfin !

Après ces mois d'hiver interminables, nous allons pouvoir sortir de notre long sommeil, nous étirer, soupirer profondément et ouvrir les yeux comme la rose du *Petit prince* de Saint-Exupéry : dans quelques jours, le 20 mars exactement, c'est le printemps.

Printemps..., « primus tempus », le « premier temps », c'est-à-dire la première saison — le moment de l'année où la nature explose et où nous renaissons avec elle puisque nous en faisons partie.

Mais aussi Equinoxe de printemps — le temps où nous sommes tous égaux devant le soleil, puisque, quel que soit le point de la Terre, ce 20 mars, la durée du jour est égale à celle de la nuit. Une jolie symbolique pour une bien belle saison, n'est-ce pas ?

Alors, réveillez-vous et savourez ce renouveau !

A bientôt,

La responsable de collection

L'héritière insoumise

RUTH JEAN DALE

L'héritière insoumise

éMOTIONS

éditionsHarlequin

Cet ouvrage a été publié en langue anglaise
sous le titre :
FAMILY SECRETS

Traduction française de
MURIEL VALENTA

HARLEQUIN®

est une marque déposée du Groupe Harlequin
et Émotions® est une marque déposée d'Harlequin S.A.

Photos de couverture

Paysage : © GARETH McCORMACK / GETTY IMAGES
Femme : © R. HOLZ / ZEFA

83-85, boulevard Vincent-Auriol, 75013 PARIS — Tél. : 01 42 16 63 63
Service Lectrices — Tél. : 01 45 82 47 47
ISBN 2-280-079631 — ISSN 1768-773X

Prologue

La Nouvelle-Orléans, le 4 juillet 1999

Sharlee se faufila entre les invités. Si elle voulait quitter la réception discrètement, c'était le moment ou jamais. Amis, parents, employés, journalistes et VIP se pressaient dans la salle de réception, la fête battait son plein… Elle pouvait filer — personne ne prêterait attention à elle ; personne ne remarquerait son absence.

Ce soir, on célébrait le cinquantième anniversaire de la WDIX-TV, la station de télévision créée par ses grands-parents, Paul et Margaret Lyon. D'abord, Sharlee avait fait savoir qu'elle ne tenait pas à assister à cette extravagante réception. Mais il lui avait fallu revenir sur sa décision pour ne pas aggraver encore les tensions entre elle et sa famille. Un serveur passait. Elle attrapa une flûte de champagne sur le plateau. Adressa un sourire forcé à son père, qu'elle aperçut brièvement de l'autre côté de la pièce. Dieu merci, sa mère n'était pas en vue.

Pourquoi ses parents refusaient-ils de comprendre que, à presque vingt-cinq ans, elle était une femme indépendante, capable de faire son chemin dans le monde sans s'appuyer sur le nom des Lyon ? Cette indépendance lui tenait même tellement à cœur que, au journal de Denver où elle travaillait comme reporter, on ne la connaissait que sous le nom de Sharlee Hollander. Sharlee — diminutif de Charlotte — lui avait été donné des années plus tôt par un amour perdu, et Hollander était le nom de famille de sa grand-mère. Quant à « Charlotte Lyon », elle était sortie du giron familial en entrant au pensionnat, presque neuf ans plus tôt.

Et pourtant… Et pourtant, elle était là ce soir, à faire semblant d'appartenir encore à l'illustre clan — tout cela pour les besoins d'une opération de relations publiques. Paul Lyon, son grand-père, était une légende vivante, une personnalité connue de tout le Sud, considérée comme la Voix de Dixie — du nom donné aux onze anciens Etats de la Confédération. André Lyon, son père, était un de ces hommes qui croient en la famille. Pour une large part, on lui devait aussi l'incroyable succès de WDIX-TV. Margaret, sa grand-mère, et Gabrielle, sa mère, avaient toutes deux joué un rôle important à WDIX tout en restant des mères exceptionnelles, des épouses exceptionnelles, des dames patronnesses exceptionnelles et des femmes d'un charisme et d'une grâce remarquables.

Néanmoins, la mère de Sharlee s'était retirée des affaires à la naissance de son fils, sept ans plus tôt. Elle avait choisi son foyer et Andrew Paul, que tout le monde appelait affectueusement Andy-Paul.

Lyoncrest, l'immense hôtel particulier familial situé dans le quartier de Garden District, accueillait aussi la sœur de Sharlee, Leslie, son époux Michael McKay et la fille de celui-ci, Cory, elle aussi âgée de sept ans. Leslie attendait un bébé — la nouvelle de l'heureux événement avait été annoncée quelques minutes plus tôt, à la plus grande joie de la famille et des invités complaisants.

Sharlee n'était pas une envieuse — même, elle détestait ce défaut —, mais cette fois, c'en était trop pour elle. Trop, cette sœur aînée qui avait tout, y compris la bénédiction de la famille entière. Trop, cet adorable petit frère destiné à perpétuer le nom des Lyon.

Quelqu'un la bouscula par inadvertance, et elle renversa un peu de champagne de sa flûte. Comme elle se retournait pour voir qui était le responsable, elle constata qu'elle se trouvait derrière deux élégants vieux messieurs, en grande conversation : son grand-père Paul et son grand-oncle Charles, tous deux octogénaires. Elle s'approcha discrètement, intriguée par leur ton de conspirateur.

— L'histoire des Lyon serait donc révélée au grand jour ? disait Paul avec cynisme. La véritable histoire…

Ce à quoi Charles répondit :

— Je sais ce que je dis, mon cher frère. J'étais là. Et j'affirme qu'il y a plus de secrets dans cette famille que de bougies sur ce gâteau.

Sharlee fronça les sourcils. De quoi parlaient-ils ? Quels secrets ? Pour autant qu'elle sache, les membres de la famille Lyon étaient tous irréprochables — sauf elle, bien entendu ! Pourtant, Charles suggérait le contraire. Paul allait certainement le contredire.

Elle attendit. En vain.

Paul ne démentait pas. Alors elle commença à s'interroger. Etait-ce possible ? Y avait-il des secrets… ? Charles parlait peut-être de la branche de la famille à laquelle il appartenait ? L'autre branche…

Lui et son fils Alain ne travaillaient pas pour Lyon Broadcasting. Ils possédaient l'un des restaurants français les plus prestigieux de La Nouvelle-Orléans. D'ailleurs, ce soir, ils avaient fourni les fameux champignons farcis fromage et crevettes… La gastronomie était bien l'une des rares choses de La Nouvelle-Orléans qui manquât à Sharlee.

Comme il se doit, tous les enfants et petits-enfants de Charles s'impliquaient dans l'une ou l'autre des affaires familiales et se soumettaient docilement aux obligations — comme ce cinquantenaire célébré en grandes pompes.

Très tôt, Sharlee, elle, s'était promis de ne pas mener cette vie de clan ; de faire son propre chemin. Quelles que soient les conséquences. Car elle était depuis longtemps parvenue à la conclusion qu'elle était le seul esprit libre de la famille. La rebelle. A l'école, elle était celle qui se faisait coller pour insolence, celle qui se faisait pincer par la ronde de police après avoir fait le mur, celle qui sortait en catimini pour retrouver des garçons. Plus tard, elle avait été interpellée par les forces de l'ordre lors de manifestations contestataires sur le campus de l'université — ce qui lui avait valu une dispute magistrale avec sa mère le jour de son vingt et unième anniversaire.

C'est alors qu'elle avait décidé d'accepter un poste de journaliste dans le Colorado une fois ses études terminées, au lieu de regagner le nid familial.

En réponse à son attitude rebelle, ses parents avaient refusé de lui donner accès au compte bloqué censé lui revenir à sa majorité. Leur manque de confiance l'avait bien plus blessée que le fait d'être privée de son argent — même si cet argent risquait de lui manquer, elle l'admettait.

Allez, cette valse de souvenirs ne la menait nulle part…, songea-t-elle. Elle avait un avion à prendre. Il n'empêche que la conversation qu'elle venait de surprendre entre Paul et Charles avait piqué sa curiosité de journaliste. Si elle s'attardait encore quelques minutes, peut-être apprendrait-elle des choses intéressantes, voire scandaleuses, au sujet des Lyon…

C'est alors qu'elle vit Devin Oliver.

Son cœur s'arrêta de battre.

Dev était un très beau garçon, brun, aux yeux noirs insondables… Jusque-là, elle s'était débrouillée pour l'éviter — comme elle avait évité ses parents et tous les gens trop sérieux. Sa chance était-elle en train de l'abandonner ?…

Franchement, elle n'avait aucune envie de faire la conversation avec Dev. Elle l'avait follement aimé, mais il avait choisi son camp. Il était désormais à la solde de son père, André. Alors elle tourna les talons, passa vivement derrière un groupe d'invités et battit en retraite, bien résolue à faire la sourde oreille tandis que Dev s'écriait dans son dos :

— Sharlee, attends ! Tu ne pourras pas me fuir éternellement.

1.

Dev Oliver se tenait sur le seuil de son restaurant, le Bayou Café, à proximité du Marché français, dans le Vieux Carré de La Nouvelle-Orléans. C'était une autre de ces étouffantes journées du mois d'août. De l'autre côté de la rue, deux jeunes garçons faisaient des claquettes pour les touristes, et le marchand de ballons s'arrêta un moment pour les regarder en battant la mesure. Un peu plus loin en bas de la rue, un musicien tira un saxophone d'un vieil étui tout cabossé, le porta à ses lèvres et commença à jouer.

La Nouvelle-Orléans... L'endroit où Dev se sentait chez lui. Une ville unique au monde. Il sourit et s'apprêtait à rentrer — un travail fou l'attendait — quand une longue limousine rutilante s'arrêta le long du trottoir. Sa première pensée fut que le stationnement était interdit, et que le contrevenant risquait de gros ennuis si la police venait à passer. Puis il reconnut le véhicule, et il se dit alors que ni lui ni le restaurant n'étaient en état de recevoir une telle visite.

— Et m... ! marmonna-t-il entre ses dents.

Avec son T-shirt trempé de sueur, son jean poussiéreux et ses chaussures de tennis, il avait l'allure de quelqu'un qui vient de travailler toute la matinée à préparer l'ouverture de son restaurant. Pas celle d'un propriétaire sur le point d'accueillir dans son établissement un des membres éminents de la famille Lyon.

Il entra et annonça à Felix Brown, posté derrière le comptoir :

— Nous avons de la visite.

— Une connaissance ? s'enquit l'homme, dont la voix douce contrastait avec la carrure de sportif.

Felix était aussi un cuisiner hors pair ; Dev l'avait associé à son affaire — à condition, bien entendu, que le Bayou Café ouvre un jour… Un pas en avant, deux pas en arrière. Une réparation, une panne. Une autorisation accordée, deux nouveaux permis à obtenir. Ils n'avançaient pas. A ce rythme, ils s'estimeraient heureux s'ils ouvraient pour mardi gras.

Dev indiqua du menton la vieille dame aux cheveux blancs qui sortait de la limousine avec l'aide de son chauffeur.

— La reine en personne, répondit-il. L'as-tu déjà rencontrée ?

— Moi ? Quelle drôle d'idée ? Où est-ce que j'aurais rencontré Mme Margaret Lyon ?

— Elle aime la bonne cuisine. Toutefois, je me demande bien pourquoi elle vient rendre visite à un parent éloigné comme moi.

Il sortit sur le trottoir.

— Bienvenue au Bayou Café, tante Margaret.

— Devin, mon petit, répondit la vieille dame en tendant sa joue poudrée et parfumée. Ton joli sourire nous manque, à WDIX.

— Merci, dit-il en s'écartant et en lui tenant la porte. Je ne pense pas que vous connaissiez mon associé, Felix Brown. Felix, je te présente Mme Margaret Lyon, l'éminence grise de WDIX-TV.

La grande main noire de Felix enveloppa celle de Margaret

Lyon. Il dominait cette dernière d'une bonne trentaine de centimètres, et pourtant Margaret n'était pas petite.

— Ravi de faire votre connaissance, madame.

Et comme régaler les autres était chez lui une sorte de seconde nature, il proposa aussitôt :

— Avez-vous faim ? Nous sommes lundi, et j'ai mis les haricots rouges et le riz à mijoter. Ou alors je peux vous préparer un *po'boy* en un rien de temps.

— Je ne doute pas que vos spécialités soient délicieuses, répondit Margaret en souriant, mais non, merci. Je vous promets, en revanche, de revenir goûter le plat du jour quand le restaurant sera ouvert.

— Rien du tout ? insista Felix, qui paraissait déçu. Peut-être quelque chose à boire ?

— Je boirais bien un peu de thé glacé.

— Je m'en occupe, répondit Felix, qui avait recouvré le sourire.

Comme il disparaissait dans la cuisine, Margaret souligna qu'elle le trouvait gentil.

— Où l'as-tu rencontré, Dev ?

— A l'école.

— Les vieux amis sont généralement les meilleurs.

Dev tira une chaise — en même temps que le restaurant, il avait acheté les meubles d'origine. Selon le point de vue, on pouvait les trouver démodés ou dignes d'un collectionneur.

— A quoi devons-nous l'honneur de votre visite ?

Elle s'assit, avec des gestes distingués et précis.

— Tout l'honneur est pour moi, répondit-elle en croisant les mains sur la table. Je suis le premier membre de notre famille à voir l'endroit pour lequel tu as quitté WDIX.

Dev ressentit un pincement familier. La mauvaise conscience. Il y a peu encore, il travaillait pour WDIX-TV, comme assistant d'André. Il avait aimé le poste, dans un secteur qui l'intéressait toujours. Mais la stratégie familiale — et plus particulièrement la petite guerre que se menaient depuis des années les deux branches de la famille — l'avait finalement incité à partir.

Il avait hésité avant de prendre sa décision, sachant que son beau-père, Alain, serait furieux contre lui. Mais au décès de sa mère, en janvier, Dev s'était senti libre de faire ce qu'il voulait. Ni Alain ni personne n'aurait pu l'en empêcher.

Donc il avait démissionné.

— WDIX se portera très bien sans moi, dit-il en s'asseyant face à sa grand-tante. Il était plus que temps.

Felix reparut avec deux grands verres de thé glacé sur un plateau.

— Vous voulez du sucre, ou autre chose ?

— Du sucre, s'il vous plaît.

Felix ouvrit alors une de ses grandes mains, et plusieurs paquets de sucre tombèrent sur la table.

— Vous ne voulez rien d'autre ? Vous en êtes sûre ?

— Absolument, répondit Margaret en ouvrant un paquet de sucre. Merci beaucoup.

— Je vous en prie. Il faut que je vous quitte pour téléphoner. Je dois trouver quelqu'un qui répare la climatisation. J'ai été ravi de vous rencontrer, madame Lyon.

Une fois Felix parti, elle demanda :

— Tu m'as dit que ce jeune homme était ton associé, n'est-ce pas ?

— En effet. Moi, j'ai l'argent ; lui, il a le savoir-faire. Du moins, suffisamment pour démarrer l'affaire.

Margaret porta son verre à ses lèvres et but en silence. Devin eut alors l'impression qu'elle était mal à l'aise. Comme il cherchait un moyen de détendre l'atmosphère, elle soupira et le regarda dans les yeux.

— Tu dois certainement te demander pour quelle raison je suis venue te faire perdre ton temps, alors que tu es si occupé.

— Je me disais que vous finiriez bien par me l'expliquer. Prenez votre temps, tante Margaret.

Presque imperceptiblement, les traits de la vieille femme se crispèrent.

— Justement, c'est là tout le problème. Je ne sais pas combien de temps il me reste. Ou plutôt, combien de temps il reste à Paul.

Dev se redressa, et il sentit immédiatement son humeur s'assombrir.

— M. Lyon est malade ?

S'il appelait la vieille dame tante Margaret, son époux resterait toujours M. Lyon pour lui.

— Je te demande pardon, dit-elle en soupirant. Je ne voulais pas t'inquiéter. Il va… aussi bien que possible. Mais j'ai besoin que tu me rendes un service, Devin. Un très grand service. Et comme je refuse d'avoir la moindre dette envers qui que ce soit, j'insiste pour te payer en t'assurant de mon soutien financier pour ce restaurant.

Devin ne savait que trop bien tout ce qu'il devait à cette femme et à sa famille. Depuis des années, elle et son mari avaient, en effet, financé l'autre restaurant — celui dont son grand-père Charles avait hérité peu de temps après la grande crise familiale de 1949. L'autre branche de la famille Lyon avait continué à injecter régulièrement de l'argent frais dans l'affaire jusqu'à ce qu'Alain prenne la suite de Charles en 1985, après quoi le restaurant avait, semble-t-il, commencé à être rentable.

Charles n'avait rien d'un homme d'affaires. Tout le monde dans la famille le savait, même si personne ne l'évoquait ouvertement. Toutefois, les membres de la famille en parlaient discrètement entre eux, et souvent à Dev — qui semblait doué pour attirer les confidences et qui se trouvait régulièrement le dépositaire de secrets qu'il aurait préféré ignorer.

Mais Margaret Lyon était différente. Elle s'était montrée généreuse et aimable avec sa mère, Yvette, avant et après le divorce. Margaret était même venue lui rendre visite à l'hôpital, et elle était la seule Lyon à avoir assisté à ses obsèques.

Essayant de ne pas montrer la tension qu'il ressentait, Dev dit calmement :

— Je refuse de prendre votre argent, tante Margaret. Je vous suis déjà redevable pour toutes vos preuves de générosité, et je ferai mon possible pour vous aider.

— Je t'ai offensé, répondit-elle en soupirant.

— Pas du tout. Je vous remercie pour votre proposition, mais… je ne vois pas ce que je pourrais faire pour vous que d'autres ne feraient pas mieux que moi.

Subitement, il se demanda ce qu'il répondrait si elle souhaitait qu'il reprenne son poste à WDIX, et il sentit son estomac se nouer d'appréhension.

— Tu es le seul capable d'accomplir cette mission, dit la vieille dame avant de prendre une profonde inspiration et d'enchaîner d'un trait : Devin, je veux que tu te rendes dans le Colorado et que tu persuades ma petite-fille de revenir à la maison avant qu'il ne soit trop tard. La santé de son grand-père est fragile, et je souhaite…

Son regard s'anima soudain d'une lueur fébrile, et elle corrigea :

— Non, j'*exige* que tous les Lyon se rassemblent autour de lui pendant qu'il en est encore temps.

Stupéfait, Dev la regarda fixement. C'était bien la dernière chose à laquelle il s'attendait.

— S'il te plaît, fais-le pour moi, implora Margaret en lui adressant un regard perçant. C'est très important.

L'espace d'un moment, il oublia de respirer. D'après ce qu'il savait, son grand-oncle se portait comme un charme pour un octogénaire. Pour le cinquantenaire de WDIX-TV, il avait paru en parfaite santé et il avait même donné l'impression de bien s'amuser. Il était impossible d'imaginer WDIX sans la Voix de Dixie.

Tout comme il s'imaginait mal partir pour le Colorado, pour en ramener Charlotte Lyon. L'époque où elle avait été sa Sharlee était bel et bien révolue. En effet, elle lui avait à peine adressé la parole lorsqu'elle était venue en juillet, et il lui en voulait beaucoup.

— Tante Margaret, j'ai été... proche de Charlotte, mais c'était il y a longtemps.

Sharlee et lui avaient eu une liaison aussi brève que passionnée alors qu'elle avait seize ans et lui dix-neuf. Il n'était pas très fier de lui avoir pris sa virginité, mais il n'avait pas eu la force ni la maturité de refuser ce qu'elle lui offrait.

Inquiète, toute la famille, y compris tante Margaret, avait œuvré à les séparer avant qu'ils ne deviennent « trop proches ». Seul le beau-père de Dev s'était rangé du côté des jeunes gens.

Sharlee et Dev n'avaient plus jamais parlé de ce qui était arrivé, et Dev ressentait toujours une profonde culpabilité.

— Nous sommes devenus des étrangers l'un pour l'autre, reprit-il sur un ton dont la dureté le surprit lui-même. Pourquoi pensez-vous que...

— Le désespoir, coupa Margaret. C'est pour le bien de Charlotte, Devin. Tu es ma dernière chance. Tout le monde dans la famille a essayé de lui parler, en vain. Si tu ne peux pas t'en charger...

Margaret tremblait un peu. Il détestait la voir dans cet état. Pourtant...

Avec un sourire crispé, il répondit :

— Vous m'avez déjà demandé, une fois, de faire quelque chose contre ma volonté, pour le bien de Charlotte, lui rappela-t-il.

— Et je reconnais que tu l'as fait, dit-elle sans ciller.

Elle devait être redoutable au poker.

— Et mes motivations étaient pures, à l'époque comme aujourd'hui, ajouta-t-elle.

— Sharlee... Charlotte ne m'a jamais pardonné. Elle refuse même de me parler.

— Comment peux-tu savoir ce qu'elle ressent au fond de son cœur ?

— Comment un homme peut-il savoir ce qu'il y a dans le cœur d'une femme ?

— Exactement, Devin. Tu dois le faire pour moi.

— Tante Margaret...

— *S'il te plaît*, Devin.

— Je vais y réfléchir, promit-il malgré lui. Mais ne vous faites pas trop d'illusions, d'accord ? Même si j'accepte, j'ai peu de chances de réussir.

Les yeux bleu gris de la vieille dame se remplirent alors de larmes, et elle tendit la main pour serrer celle de Dev avec une vigueur surprenante.

— Je savais que tu ne me décevrais pas, dit-elle. La famille doit toujours se serrer les coudes. Tu t'appelles peut-être Oliver, mais tu as le cœur d'un Lyon.

Vraiment ? Quelle déveine ! Il se sentait pris entre le marteau et l'enclume...

Margaret partie, Dev rapporta leur conversation à son associé tout en précisant à la fin :

— Je refuse catégoriquement de faire ce qu'elle demande. Non seulement Sharlee me claquerait la porte au nez, mais en plus, nous avons suffisamment de travail ici pour que je m'autorise la moindre absence.

Felix grogna. Il sortit une liasse de papiers de la poche arrière de son jean, et la posa sur le comptoir.

Des factures. Rien que des factures.

— Fais ce qu'elle demande, conseilla-t-il à son ami. Fais le voyage jusque dans le Colorado, ou ce restaurant n'ouvrira *jamais*.

— Désolé, Felix, nous n'accepterons pas un seul cent de Margaret, répondit Dev en jetant un coup d'œil aux factures. Il me reste encore quelques économies et des actions que je peux revendre. Si nous arrivons à nous débrouiller jusqu'à ce que la maison de ma mère soit vendue, tout ira bien. Nous nous en sortirons sans l'aide de personne. Ou nous coulerons sans l'aide de personne.

— Et si nous coulons, rétorqua Felix avec un rire un peu forcé, je pourrais sans doute me faire embaucher au McDonald's, mais toi, je ne sais pas ce que tu deviendras.

Dev ne le savait pas non plus. D'ailleurs, il aurait mieux fait de réfléchir à son avenir, plutôt que de revenir sans cesse à l'attitude de Sharlee, le mois dernier, à l'anniversaire de WDIX. On aurait cru qu'ils ne se connaissaient même pas.

Si au moins elle lui avait parlé — mais non. Pas un mot depuis tout ce temps... Alors, bon sang, il était tenté d'accepter la proposition de Margaret, ne serait-ce que pour enfin savoir ce que Sharlee avait dans le cœur et le crâne.

Sharlee Hollander se tenait devant le rédacteur en chef du *Courier de Calhoun*, le journal qui l'employait, et elle s'efforçait de contenir son enthousiasme.

Enfin, Bruce était sur le point de lui donner la chance qu'elle attendait : devenir un vrai reporter. Au diable les articles sur la décoration, les recettes de cuisine et les chroniques de mode ! En trois ans et deux journaux, elle avait tout essayé pour changer de rubrique, mais elle semblait malheureusement douée pour rédiger les articles « style de vie ». Elle s'était rendu compte après coup qu'elle n'aurait jamais dû accepter un tel poste dès sa sortie de l'université, mais à l'époque, elle n'avait pas envisagé qu'elle serait cataloguée.

— J'ai donc décidé de te donner une chance, Sharlee, annonça Bruce, en prenant appui contre le dossier de son fauteuil. Heather va prendre en charge la rubrique « style de vie », et toi, tu t'occuperas de l'actualité locale. C'est bien ce que tu me demandes depuis ton arrivée ici, n'est-ce pas ? Alors file à l'hôtel de ville et vois quelles informations tu peux glaner.

— Tu ne le regretteras pas, Bruce, je te le jure.

— Il y a intérêt.

Sharlee sortit du bureau avec l'impression de flotter sur un petit nuage. Depuis l'obtention de son diplôme, trois ans plus tôt, à l'université du Colorado, elle ne traitait que des sujets légers. Enfin, elle allait changer de genre !

Eric Burns, un journaliste avec qui elle était sortie une ou deux fois, leva le regard de son écran d'ordinateur.

— Félicitations. Je sais combien tu souhaitais changer de rubrique. Je suis content pour toi.

Son téléphone sonna et il décrocha, posant la main sur le combiné.

— Merci, répondit-elle, aux anges. Je sais que je peux y arriver.

— Excellente attitude, dit-il.

— Etre positif, c'est la clé de tout, concéda-t-elle en partant en direction de son bureau, de l'autre côté de la salle de rédaction.

Elle adorait le journalisme. Même quand elle ne travaillait pas sur un projet qui la passionnait, elle aimait l'excitation et l'énergie qui se dégageaient de la salle de rédaction. Désormais, elle allait avoir l'occasion de montrer à tout le monde qu'elle était capable de…

— Hé !

L'interpellation d'Eric la ramena malgré elle à la réalité. Celui-ci se tenait debout à côté de son bureau, le téléphone dans une main.

— Quelqu'un connaît une Charlotte Lyon ? Il y a un type à la réception qui prétend qu'elle travaille ici.

Sharlee sentit son estomac se serrer : personne ici ne connaissait son nom. Que faire ? Continuer de regarder ses collègues en affichant un air aussi surpris qu'eux ?

Pendant un moment, elle pensa jouer la comédie, mais sa curiosité naturelle prit le dessus. Il fallait qu'elle sache qui la demandait, et elle se leva.

Tous les regards se tournèrent vers elle.

— Je vais voir de quoi il s'agit, expliqua-t-elle en prenant un air dégagé. Ensuite, je file à l'hôtel de ville, pour leur annoncer que je m'occupe maintenant de l'actualité locale.

Elle sentit tous les regards peser sur elle quand elle traversa la pièce, mais elle les ignora, pressée de renconter celui ou celle qui connaissait « Charlotte Lyon ».

Ce devait être quelqu'un de La Nouvelle-Orléans car, à Denver, elle n'avait confié à personne qu'elle portait aussi le nom de Lyon. Elle refusait en effet de se servir de sa famille et de s'appuyer sur la réputation de l'empire médiatique des Lyon, en Louisiane. Elle l'avait montré de manière claire en refusant tous les emplois, pourtant tentants, qu'on lui avait offerts à WDIX-TV depuis la fin de ses études.

Alors qui pouvait bien venir la chercher jusqu'ici et pourquoi ?

Au détour du couloir, elle arriva en vue de la réception. Sous l'effet de la surprise, elle trébucha, manqua tomber et rétablit de justesse son équilibre : Devin Oliver se tenait là, de trois quarts. Il parlait à la réceptionniste avec son charmant accent du Sud, et celle-ci le regardait d'un air des plus étonnés.

Dev était si séduisant... Sur ses lèvres généreuses et fermes flottait un sourire charmeur. Il portait un pantalon de toile et un polo jaune au col ouvert, dont les manches courtes révélaient ses bras musclés.

Il ne l'avait probablement pas entendue arriver. Pourtant, il se tourna dans sa direction et leurs regards se rencontrèrent, comme aimantés. Les yeux de Dev étaient aussi foncés que ses cheveux — presque noirs, insondables, mystérieux. L'espace d'une seconde, ils restèrent là à se dévisager, malgré les quelques mètres et les presque dix années qui les séparaient.

Quand il lui sourit enfin et s'avança vers elle, elle sut que les ennuis ne faisaient que commencer.

Cette fois, elle n'allait pas le fuir, comme elle l'avait fait le 4 juillet. Elle allait devoir lui parler, qu'elle le veuille ou non. Bien entendu, il pourrait ne pas aimer ce qu'elle avait à dire, mais il valait mieux affronter la vérité plutôt que de continuer ce jeu de cache-cache comme chaque fois qu'elle venait à La Nouvelle-Orléans — ce qui était plus que rare.

C'est la curiosité qui avait finalement poussé Dev à faire le voyage jusque dans le Colorado. Il devina qu'elle avait une fois encore envie de fuir, à la manière dont elle recula, à la manière dont ses jolis yeux noisette s'écarquillèrent. Mais elle ne pouvait aller nulle part, avec la réceptionniste qui ne manquait pas une miette de la scène.

Sharlee avait beaucoup d'allure, avec son pantalon de lin de couleur pâle et un chemiser de soie rouge, sous lequel on devinait ses seins et sa respiration affolée. Elle avait changé, pendant toutes ces années où elle s'était appliquée à l'éviter : ses cheveux blonds étaient un ton plus foncé, sa poitrine semblait plus pleine et la courbe de ses hanches paraissait plus appétissante.

Son visage exprimait aussi une plus grande maturité, avec des pommettes un peu plus saillantes et une bouche encore plus pleine et plus tentante…

Elle recouvra son sang-froid, et son regard noisette se glaça.

— Quelle surprise ! Devin Oliver en personne. Tu vas certainement me raconter que tu te promenais dans le quartier et que tu as décidé de passer me dire bonjour.

Il adorait quand elle exagérait son côté « belle du Sud ».

— Non.

— Alors quoi ?

Il jeta un coup d'œil alentour ; la réceptionniste ne les quittait pas des yeux.

— Y a-t-il un endroit où nous pourrions parler seul à seul ?

— Pourquoi ? demanda-t-elle d'un air soupçonneux.

— Comme tu veux. Si cela ne te dérange pas que tes collègues écoutent notre conversation…

— Par ici, dit-elle en se retournant.

D'un pas vif, elle l'entraîna dans un couloir faiblement éclairé. Il la suivit, admirant le balancement de ses hanches et son port de tête. Charlotte Lyon était l'élégance incarnée.

Ils pénétrèrent dans une petite salle où se trouvaient des distributeurs de boissons et de friandises, un four à micro-ondes, un vieux réfrigérateur et une pancarte qui disait : « Le journalisme, c'est publier la vérité et se faire entendre ». Une femme d'une quarantaine d'années se tenait devant l'un des distributeurs, et semblait avoir le plus grand mal à se décider. Avec un sourire, Charlotte lui tapota l'épaule et dit :

— Excuse-moi, Amy, mais j'ai besoin de cette salle pour une interview.

— Mais je ne sais pas quoi prendre, gémit celle-ci.

— Les bretzels, suggéra Charlotte.

Ensuite, elle prit les pièces dans la main de sa collègue, les inséra dans la fente de la machine, tapa le code correspondant aux bretzels, puis déposa le sachet dans la main d'Amy en disant :

— Voilà de la nourriture saine. Aucune matière grasse.

— Sharlee, tu as toujours réponse à tout, s'extasia Amy, qui sortit de la cafétéria en gloussant.

Charlotte poussa un soupir de soulagement, puis elle invita Dev à s'asseoir sur l'une des vieilles chaises de Skaï.

— Je t'écoute : explique-moi ce que tu fais ici.

— D'accord, Charlotte, mais…

— Et s'il te plaît, ne m'appelle pas Charlotte ! supplia-t-elle en grimaçant. Désormais, je m'appelle Sharlee. Sharlee Hollander.

Sharlee ?… Dev fut perplexe. C'était lui qui lui avait donné ce diminutif ; lui, aussi, qui l'avait toujours appelée ainsi.

— Tu cherches vraiment à rayer ta famille de ta vie, remarqua-t-il finalement.

Elle se redressa. Elle avait décidément des seins magnifiques.

— Je n'ai aucune intention de parler de ma famille avec toi, Devin.

— Désolé, mais il s'agit aussi de ma famille. Tu me permets de boire un Coca ?

— Je t'en prie.

— Tu en veux un ?

Elle fit non de la tête, puis répondit :

— Je veux seulement connaître la raison de ta présence.

— C'est ta grand-mère qui m'envoie.

Elle se figea, se laissa tomber sur une chaise comme si ses genoux ne la portaient plus.

— Grand-mère ? répéta-t-elle d'une petite voix.

— Exactement, répondit-il, en revenant du distributeur avec une boîte de soda à la main.

— Pourquoi ?

— Elle veut que je te ramène chez toi. Je suis chargé de te convaincre.

— A Lyoncrest ?

Il acquiesça et expliqua :

— Margaret souhaite réunir tout le monde parce que… parce qu'elle s'inquiète au sujet de ton grand-père.

— Prétexte ! répliqua-t-elle d'un ton sec. D'accord, il a fait deux crises cardiaques, mais c'est de l'histoire ancienne. Ce que veut vraiment Margaret, c'est m'avoir de nouveau sous sa coupe — elle et tous les autres, d'ailleurs. Désolée, mais c'est hors de question.

Difficile de faire plus affirmatif.

— Même si j'ajoute « s'il te plaît » ? dit-il, pour tenter de détendre l'atmosphère.

Il échoua. Au lieu de lui adresser un sourire, Sharlee afficha une expression inflexible, et la tension sembla monter d'un cran.

— Tu peux ajouter « s'il te plaît » et même faire le poirier si ça te chante, c'est *non*. Pour être franche avec toi, je m'étonne que tu te sois cru à la hauteur de la tâche fixée par Margaret !

— J'apprécie beaucoup ta grand-mère.

— Moi aussi. En fait, je l'aime. Mais ni elle ni qui que ce soit d'autre ne me dira comment diriger ma vie.

Surpris, Devin répondit :

— Elle ne dirige pas ma vie, si c'est ce que tu sous-entends. Seulement, je pense que la famille est ce que nous avons de plus précieux au monde. Si tu rentrais chez toi seulement pour une visite…

— La Nouvelle-Orléans n'est plus chez moi, coupa-t-elle. Et cela fait plusieurs années, maintenant.

— Soit, puisque c'est ce que tu ressens.

Puis il se leva et ajouta :

— J'ai fait ce que je devais faire, tu as refusé, et en ce qui me concerne, nous en resterons là. Que dirais-tu de tenir compagnie à un étranger en ville pour le dîner ?

Avant qu'elle n'ait eu le temps de répondre, un jeune homme d'une vingtaine d'années entra dans la pièce. Il observa Dev avec curiosité avant de lancer :

— Sharlee, Bruce veut te voir pour une question de planning.

— Maintenant ?

— Je le crains…

— D'accord. Merci, Eric. J'en ai pour une minute, Dev.

— Prends ton temps.

Une fois Sharlee partie, il ouvrit machinalement la cannette de soda, qu'il porta à sa bouche. De toute évidence, Sharlee Hollander, ou quel que soit son nom aujourd'hui, se protégeait farouchement. Et lui, Dev Oliver, aurait bien aimé savoir ce qu'il se passait exactement dans sa tête…

Quand elle vint rejoindre Devlin, Sharlee avait de nouveau les idées claires. Il l'avait eue par surprise ; elle n'était pas en mesure de croire qu'il pouvait agir comme si rien ne s'était passé entre eux, même après tout ce temps.

Tout ça n'avait guère d'importance, d'ailleurs. Dev Oliver ne comptait plus pour elle, il était une sorte de parfait étranger. Autrefois, oui, ils avaient été incroyablement proches. Au temps où ils sortaient ensemble et faisaient leurs études, ils étaient tous deux très motivés, portés par l'ambition. Et pour avoir survécu, à la WDIX, Devin avait probablement fait preuve de cette énergie qu'elle lui avait connue. Même si, bien sûr, on ne pouvait pas exclure qu'il ait changé…

Elle n'avait pas voulu en savoir plus ; pas après la manière dont il l'avait traitée. Pourtant, et malgré les années, elle continuait de se demander si elle lui avait vraiment plu, ou bien s'il n'avait jamais vu en elle que l'héritière des Lyon. Dans ce dernier cas, songea-t-elle, il avait tiré sa révérence en s'apercevant qu'il faisait un mauvais calcul, qu'il ne pourrait rien obtenir grâce à elle.

Mais quel besoin avait-il eu de lui envoyer cette horrible lettre qui la hanterait jusqu'à la fin de sa vie ? Elle l'avait lue et relue jusqu'à en connaître les mots par cœur — ces mots terribles qu'elle était aujourd'hui encore capable de réciter. La dernière phrase, surtout : « Nous sommes jeunes. Un jour, nous rirons en reparlant de notre histoire. »

Un jour… Lui, peut-être !

Alors allait-elle accepter de dîner avec cet homme ? En avait-elle envie ?

Au fond, la vraie question était plutôt : pouvait-elle s'offrir le luxe de refuser un repas gratuit alors qu'il ne lui restait que sept dollars pour boucler le mois si elle ne voulait pas puiser dans ses maigres économies.

Elle ouvrit donc la porte de la cafétéria avec détermination — et se figea en voyant Dev en grande conversation avec un photographe. Il posa le regard sur elle et sourit.

Quand Dev souriait, Sharlee perdait toujours tous ses moyens, jadis, à l'époque où elle était jeune et candide.

Le photographe aussi se rendit compte qu'elle était là et se leva.

— Ton ami est charmant, dit-il à Sharlee. Pourquoi ne lui fais-tu pas visiter le journal ? Je suis sûr que tout le monde serait content de le rencontrer.

Puis il se tourna vers Dev et ajouta :

— Si vous restez quelque temps dans cette ville, je serai ravi de vous emmener en reportage avec moi. Je pense que vous trouverez cela intéressant.

— Je n'en doute pas, répondit Dev en toute sincérité.

Une fois le photographe parti, Dev fit signe à Sharlee de venir s'asseoir à côté de lui. Elle refusa.

— De quoi parlions-nous déjà quand Eric nous a interrompus ? demanda-t-elle, comme si elle ne s'en souvenait pas.

— Je venais de t'inviter à dîner. Dans un restaurant cher et réputé, devrais-je ajouter.

— C'est vrai. Et je me demandais pourquoi je devrais accepter. Parce que si tu t'apprêtes à me harceler pour le compte de grand-mère, je me contenterai d'un sandwich devant ma télé.

Il sourit et haussa les épaules.

— Si tu essaies de m'arracher la promesse de ne pas parler de La Nouvelle-Orléans ni de la famille, en échange de ta compagnie, j'ai bien peur de ne pouvoir te satisfaire, Sharlee. Nous partageons une histoire, et cela indépendamment de ce que toi ou moi en pensons aujourd'hui. Nous avons grandi ensemble, aimé les mêmes personnes, affronté les mêmes problèmes. Je ne me crois pas capable de passer une soirée avec toi en ignorant tout cela.

Bien entendu, il avait raison, et elle en était tout aussi incapable que lui. Elle avait tellement de questions à lui poser, tellement de choses à comprendre. Pendant le dîner, elle aurait peut-être l'occasion de les évoquer…

Ou peut-être pas. En tout cas, elle y gagnerait un bon repas — Devlin ne repartirait pas pour La Nouvelle-Orléans avec l'impression de l'avoir intimidée.

— Je pense que cela ira, dit-elle lentement. Où veux-tu aller ?

— A toi de choisir. Tu connais la ville, moi pas.

Elle réfléchit, puis proposa :

— Il y a un endroit vraiment bien dans la montagne. Il faut faire un peu de route, mais cela en vaut largement la peine.

— J'ai tout mon temps.

Il se leva et, avant qu'elle n'ait eu le temps de réagir, il lui prit les mains. Elle essaya de se dégager — en vain. A moins d'appeler à l'aide, elle était sa prisonnière.

— Merci, dit-il simplement en la regardant droit dans les yeux. Seulement, il faudra que tu m'indiques la route.

Si seulement…

2.

Comme la vieille guimbarde qui lui servait de voiture menaçait de rendre son dernier soupir à chaque tour de roues, elle fut contrainte de laisser Dev venir la chercher chez elle. Elle avait prévu de le retrouver devant son immeuble, mais il arriva avec vingt minutes d'avance et frappa à sa porte alors qu'elle n'avait pas fini de se préparer.

N'ayant pas le choix, elle le fit entrer à contrecœur — non qu'il y eut un problème quelconque avec son appartement, car l'endroit était propre et parfaitement en ordre… Ce qui n'avait rien d'un exploit, dans la mesure où elle ne possédait presque aucun meuble. Pourquoi s'embarrasser de choses matérielles ? Rien dans sa vie ne semblait permanent.

Le mobilier de son salon se résumait à une télévision portative, un fauteuil acheté d'occasion à une amie, un ordinateur portable — dont elle était très fière — posé sur une petite table, et des dizaines de livres et de magazines empilés un peu partout et même par terre.

La cuisine paraissait un peu moins vide, mais seulement parce qu'elle était déjà équipée quand Sharlee avait emménagé. Quant à sa chambre — dans laquelle Dev n'entrerait *jamais* —, elle était meublée d'un lit de deux personnes et d'un bureau bancal acheté dans un dépôt-vente, ce qui laissait largement la place pour sa modeste garde-robe.

— Je t'en prie, assieds-toi pendant que j'attrape mes chaussures, dit-elle plus pour lui faire remarquer qu'il était en avance que sur le ton d'une réelle invitation.

— Désolé d'être en avance, s'excusa-t-il sans la moindre trace de remords.

Il regarda autour de lui, affichant une indéniable expression d'étonnement. Visiblement, il s'attendait à un intérieur différent.

Pendant qu'il considérait l'appartement, elle en profita pour observer son invité. Elle avait essayé d'oublier combien il était séduisant. A la fois mince et d'une belle carrure, il était très élégant dans son costume d'été et sa chemise bleue agrémentée d'une cravate à rayures. En fait, il était superbe, mais maintenant qu'elle y pensait, il y avait quelque chose de différent chez lui et il lui fallut quelques instants avant de trouver quoi.

Voilà ! Elle ne l'avait jamais vu porter des cheveux aussi longs. Amusée, elle se dit que le code vestimentaire de WDIX devait se relâcher.

Elle lissa sa jupe bleue de la main, puis enfila des ballerines passe-partout. Pourquoi faire des effets de toilette, alors qu'elle n'avait rien à prouver à cet homme ? Pourquoi se serait-elle souciée de ce qu'il pensait d'elle, de ses vêtements ou de sa manière de vivre ?

— Je suis prête, annonça-t-elle.

Quand elle releva la tête, elle croisa le regard étonné de Dev.

— Où sont tes meubles ? demanda-t-il.

— J'adore le style minimaliste.

— Tu as bien changé.

Réprimant un sourire, elle dit :

— C'est voulu, tu sais. C'est même très tendance.

— Peut-être dans le Colorado. Es-tu prête ?

— Oui. Je t'ai prévenu qu'il y avait un peu de route, n'est-ce pas ?

— Ma douce, si ce n'est pas un problème pour toi, alors ce n'en est pas un pour moi non plus.

Pendant le trajet, elle s'efforça d'oublier qu'il l'avait appelée « ma douce », comme il le faisait avant…

Sharlee avait grandi dans une famille qui employait une cuisinière à plein temps et qui comptait dans son patrimoine un restaurant réputé — aussi aimait-elle manger. En revanche, elle faisait une piètre cuisinière.

A son grand dam, elle n'avait plus les moyens de fréquenter les bons restaurants. Elle n'avait dîné au Fort qu'une seule fois, plus d'un an auparavant, et encore était-elle invitée. Elle n'allait pas laisser filer une autre belle occasion d'en savourer les spécialités. Sans l'ombre d'un scrupule, elle indiqua donc à Dev de prendre la direction de l'ouest, vers les montagnes.

Le Fort se trouvait à proximité de l'autoroute, près de Morrison, perché sur un promontoire rocheux. Sharlee se souvenait de tous les détails : l'architecture s'inspirait du Fort Bent, un ancien comptoir de trappeurs des années 1830 dans le sud-est du Colorado, et le bâtiment avait été construit avec quatre-vingt mille briques de pisé. Depuis son ouverture en 1963, des rois et des présidents avaient dîné à sa table — ainsi qu'une journaliste qui avait du mal à boucler les fins de mois.

Le drapeau aux vingt-sept étoiles qui flottait sur le restaurant datait d'avant l'annexion du Texas, en 1845. La tour ronde, à gauche de l'entrée, servait de cave à vins. Sharlee raconta tout cela, et même plus, à son compagnon, avant de conclure sur un ton enthousiaste :

— J'adore cet endroit !

— Tu viens souvent ? demanda Dev, comme ils traversaient la cour.

— J'aimerais bien.

Elle inclina légèrement la tête, pour mieux entendre la musique qui flottait dans l'air nocturne.

— De la flûte indienne. Est-ce que ce n'est pas beau ?

— En effet, reconnut-il, mais ne change pas de conversation. Si tu aimes tellement cet endroit, pourquoi ne viens-tu pas plus souvent ?

Autant lui avouer la vérité.

— Parce que mon salaire ne me le permet pas. Mais ce soir, c'est différent : c'est grand-mère qui régale ! N'est-ce pas ? ajouta-t-elle en lui lançant un coup d'œil interrogateur.

— Est-ce que cela changerait quelque chose ?

Elle réfléchit brièvement.

— Quelle importance, après tout ? Tu es un jeune cadre d'une station de télévision, promis à un bel avenir, et tu as les moyens, répondit-elle en l'entraînant vers une porte qui se situait à la diagonale de l'entrée.

— En fait, dit-il en l'attrapant par le coude pour la faire ralentir, ce n'est pas tout à fait vrai. Je t'en dirai davantage tout à l'heure.

Elle lui adressa un regard surpris, se demandant ce qu'il pouvait bien avoir à lui expliquer. Mais elle n'eut pas le loisir de poursuivre ses spéculations car ils entrèrent alors dans un autre siècle, où ils furent accueillis par des employés vêtus comme des trappeurs. L'un de ceux-ci les conduisit à travers un dédale de petites salles, et les installa à une table, dans un patio.

Les derniers rayons du soleil, qui disparaissait peu à peu derrière les montagnes, baignaient les lieux d'une douce lumière dorée, et l'air était subtilement odorant. Admirant une fontaine de granit rose, Sharlee ne put réprimer un sourire.

Elle s'intéressait depuis toujours à l'histoire, qu'elle avait prise en option à l'université, et elle aimait tellement cet endroit qu'elle en oublia peu à peu sa méfiance envers Dev.

— Le Pikes Peak, dit-elle en indiquant une montagne vers le sud. Et quand il fera un peu plus sombre, nous verrons les lumières de Denver à l'est.

Il acquiesça, et montra un canon.

— Impossible d'imaginer un fort sans canon, fit-il remarquer. Est-ce qu'il fonctionne ?

— Non, monsieur, répondit un serveur en leur versant à boire. C'est Bertha, notre canon de six. Mais la poudre moderne lui a fait exploser les entrailles, la dernière fois qu'on l'a utilisée.

— Pas de chance, répondit Dev en souriant. Comment nous défendrons-nous en cas d'attaque ?

— Il nous reste Carmen. C'est un canon de douze, et elle sait se faire entendre. Elle tire encore en certaines occasions.

Le serveur s'éclipsa. Dev observa tout autour de lui, et Sharlee fut heureuse de constater son intérêt.

— Excellent choix, dit-il enfin. Le décor est unique ! Qu'en est-il de la cuisine ?

— Délicieuse ! Je n'ai pas pris le risque de t'emmener ici sans raison. Je voulais te montrer que le Colorado aussi a de beaux endroits.

— Le risque ? Voyons, Sharlee, tu n'as jamais eu peur de prendre des risques.

La remarque de Dev la prit de cours.

— Je…

Le serveur posa un menu devant elle. Le regard intense de Dev croisa le sien, et elle frissonna malgré elle.

Prendre des risques ?… Elle avait changé, c'était certain. Et c'était le seul risque qu'elle acceptait de prendre avec lui.

*
* *

Ils burent des préparations étranges présentées comme conformes aux recettes en vogue cent cinquante ans plus tôt, et dégustèrent une *sallat* — du nom ancien désignant la salade. Le plat de résistance se composait d'un filet de bison, plus maigre que le bœuf, mais ils auraient très bien pu commander de l'élan. La viande était accompagnée de pommes de terre sautées avec de l'oignon, du maïs, des poivrons rouges et verts, ainsi que des haricots. Le serveur leur expliqua qu'il s'agissait de haricots Anasazi, qui tenaient leur nom d'une tribu indienne, et qui étaient cultivés de nos jours grâce à des graines vieilles de neuf cents ans retrouvées par des archéologues.

Ils parlèrent aussi beaucoup — avec précaution par certains moments, plus librement à d'autres, mais toujours de sujets sans grande importance : le temps, la montagne, la douceur de l'air, le vol de Dev jusqu'à Denver. Enfin, alors que les sujets de conversation s'épuisaient et que Sharlee se sentait incapable d'avaler une bouchée supplémentaire, elle le regarda dans la pénombre et dit :

— Tout à l'heure, tu semblais sur le point de me parler de ta carrière de jeune cadre dynamique à WDIX. Alors ?

Une intrigante fossette apparut à un coin de sa bouche.

— En fait, je n'en suis pas un.

— Un quoi ?

— Jeune cadre dynamique à WDIX.

Elle lui adressa un regard étonné.

— Papa ne t'a tout de même pas renvoyé ?

— Il ne l'aurait pas fait, alors j'ai démissionné.

— Pour quelle raison ?

— J'avais envie d'essayer autre chose, expliqua-t-il, soudain mal à l'aise. Je suis sur le point d'ouvrir un restaurant dans le Vieux Carré avec un ami.

— Enfin, Dev, tu n'espères tout de même pas me faire avaler

ça ? Si tu avais eu envie de te lancer dans la restauration, tu pouvais très bien travailler Chez Charles.

— Justement, non, dit-il sans la quitter du regard. Bien entendu, j'y ai pensé dans un premier temps, par loyauté envers la famille, et ce genre de choses. Les Lyon se serrent les coudes en toute occasion. Mais heureusement, Alain était contre.

Ayant le sentiment de ne pas tout comprendre, elle fronça les sourcils et demanda :

— Alain ? Je ne crois pas me souvenir que tu aies appelé ton beau-père ainsi par le passé. Tu l'appelais toujours « papa ».

— Oui, mais maintenant j'ai grandi et je l'appelle Alain, dit-il sur un ton désinvolte avant d'ajouter : J'ai démissionné de mon poste à WDIX, et Alain ne voulait pas m'embaucher Chez Charles, alors je n'avais pas le choix. J'ai dû me débrouiller seul, et j'avoue que j'aime ça.

— Etrange, murmura-t-elle. Tout le monde, dans la famille, travaille dans l'une ou l'autre des affaires de l'empire Lyon — sauf moi, bien sûr. Même Leslie s'est fait enrôler dans la préparation du cinquantenaire.

— Maintenant, nous sommes deux, se contenta-t-il de répondre. Mais changeons de sujet. Comment peux-tu vivre avec ton maigre salaire de journaliste ? J'ai du mal à croire que tu n'aies pas les moyens de mieux meubler ton appartement ni de manger là où tu en as envie. La Sharlee que je connaissais n'aurait pas supporté cette situation plus de cinq minutes.

Le commentaire la blessa. Pourtant, Dev avait certainement raison. En réalité, il avait entièrement raison.

— Peu importe que tu me croies ou non, c'est la vérité. Je veux réussir par moi-même.

— Vraiment ? demanda-t-il avec un froncement de sourcils. Et si c'est vraiment le cas, pourquoi aller jusqu'à renier tes liens avec la famille Lyon ? Ce sont tes racines, ton sang. Comme pour nous tous.

— Parce que… Parce que…

Elle voulait lui parler de l'argent qui lui revenait et dont on l'avait privée, de l'humiliation qu'elle avait ressentie. Néanmoins, elle ne se sentait pas encore suffisamment en confiance avec lui. Alors elle releva le menton et lui adressa un regard plein de défiance.

— Je ne supportais plus d'être entourée de tyrans, expliqua-t-elle. Tout le monde semblait mieux savoir ce qui me convenait que moi. Je me sentais étouffée… Je suis toujours sur la défensive quand je suis en famille. Toute cette perfection… C'est démoralisant.

— Perfection ? répéta Dev en haussant les sourcils. Ta famille est loin d'être par…

Il s'interrompit, mais trop tard. Qu'était-il sur le point de révéler ? se demanda Sharlee.

— S'ils ne sont pas parfaits, ils ont réussi à garder secrets leurs vices, répondit-elle.

Elle attendit qu'il réponde, mais il resta silencieux et elle lui adressa alors une moue désapprobatrice.

— Alors, que me caches-tu d'inavouable ? Que sais-tu au sujet de ma famille que j'ignore ?

— Rien, dit-il en posant sa serviette à côté de son assiette. Si, peut-être une chose : Sharlee, la santé de ton grand-père n'est pas aussi bonne que tu le crois.

A la pensée qu'il puisse dire vrai, elle sentit son estomac se nouer. Pourtant, elle refusa de se laisser émouvoir…

— C'est ce que grand-mère t'a raconté pour te convaincre de venir. Mais j'ai vu grand-père en juillet, et il semblait en parfaite santé.

— J'espère que tu as raison, répondit sincèrement Dev. Mais imagine que ce ne soit pas le cas… Sharlee, ta grand-mère souhaite qu'il soit entouré par tous les êtres qui lui sont chers, dont toi. Est-ce trop te demander ?

— Eh bien oui. Laisse tomber, Dev. Je refuse de me laisser manipuler de la sorte.

Comme elle disait cela, elle sentit le remords la pincer. Et si jamais elle se trompait…

— Nom d'un chien, Sharlee ! s'exclama Dev, qui perdit soudain son sang-froid. Quels que soient tes griefs, ta rancune, tu dois à ta famille un minimum de considération. Ils n'ont pas tort à cent pour cent et tu le sais. La vie n'est ni toute blanche ni toute noire.

— Pour moi, si ! rétorqua-t-elle. S'ils me traitaient comme une adulte, je réfléchirais à ta proposition. Mais ce n'est pas le cas, et je ne reviendrai pas vers eux.

Sur ce, elle se leva et ajouta :

— Je ne veux pas me disputer avec toi. Quittons ce restaurant, s'il te plaît.

Pendant une minute, elle crut qu'il allait répliquer. Mais non. Il se contenta de se lever à son tour.

— Comme tu voudras, concéda-t-il.

Une concession qui n'avait rien d'un accord.

« Toute cette perfection… C'est démoralisant. »

Pendant le trajet de retour, comme la jeune femme restait silencieuse, Dev eut tout le temps de repenser à ce qu'elle lui avait dit un peu plus tôt. Il finit même par convenir qu'elle avait raison sur un point : la famille l'avait tenue à l'écart à cause de certains de ses défauts, pourtant bien anodins.

Benjamine de la famille jusqu'à la naissance d'Andy-Paul, avait-elle ensuite eu le sentiment que son petit frère lui volait sa place ? Avant Andy-Paul, elle était si gâtée, si chouchoutée… La jalousie l'avait-elle éloignée ?

Non, il ne le pensait pas. Il y avait de nombreux secrets dans la famille Lyon, des choses connues de quelques membres du clan seulement, et dont on ne parlait jamais. Sharlee connaissait-elle certains de ces secrets ? La famille l'avait délibérément exclue à cause de cela ?

— Nous sommes arrivés, annonça-t-elle, comme si elle ne pouvait pas rester une seconde de plus en sa compagnie.

Il se gara le long du trottoir, mais réussit de justesse à saisir le bras de la jeune femme pour l'empêcher de sauter de la voiture. Elle lui lança un regard contrarié.

— Puis-je m'inviter chez toi pour un verre ?

Il s'attendait qu'elle refuse et il lut ce refus dans son regard et sur son visage. Pourtant, elle répondit finalement d'un ton dégagé :

— Pourquoi pas ? Même nous, les pauvres, nous avons les moyens d'acheter de la vodka bon marché.

Et quand elle le précéda dans l'immeuble, Dev croyait à peine à ce qui lui arrivait.

Sharlee avait brûlé de lui poser des dizaines de questions, mais elle s'était tue : elle ne voulait surtout pas lui donner la satisfaction de l'entendre lui demander des explications.

Par ailleurs, il n'y avait peut-être rien à expliquer... Comment aurait-il pu mieux connaître qu'elle-même sa propre branche de la famille — bien qu'elle soit partie depuis des années.

En fait, elle savait l'essentiel à ses yeux : comment ses arrière-grands-pères, Alexandre Lyon et Wendell Hollander, avaient fondé ensemble la station de radio, puis comment les deux fils d'Alexandre, Paul et Charles, avaient pris la succession de leur père alors que leur sœur, Justine, en avait été tenue à l'écart ; comment le mariage de Paul Lyon et Margaret Hollander avait assuré la descendance de la dynastie familiale...

Les grands-parents de Sharlee avaient su saisir leur chance et avaient créé la chaîne de télévision en 1949, tandis que

Charles s'occupait de la station de radio. Vingt-cinq ans plus tard, la mère de Sharlee, Gabrielle, avait rencontré l'héritier, André, et était tombée amoureuse de lui.

Comme tout le monde l'avait toujours raconté à Sharlee, la vie de la famille s'était déroulée dans la douceur, la facilité et le bonheur, et tous avaient mené des vies exemplaires — que ce soit en privé ou en public. Est-ce que personne n'avait eu envie de tout envoyer promener ?

Rien que d'y penser, elle sentit son pouls s'accélérer. Ou alors, c'était de se retrouver face à l'homme qui l'avait fait souffrir... En tout cas, ses paumes étaient moites et elle respirait mal.

D'ailleurs, quand Dev lui avait demandé s'il pouvait entrer prendre un verre, elle avait bien failli répondre non. Mais sauf à paraître lâche, elle ne pouvait pas refuser. Aujourd'hui, elle était son égale : une femme adulte, et non plus la gamine innocente qu'il avait connue. Alors, inutile de fuir devant lui ; elle avait les moyens de l'affronter et de le battre sur son propre terrain — quel qu'il soit.

Une fois dans son appartement, elle prépara deux vodkas-Tonic, puis lui indiqua le fauteuil, alors qu'elle prenait place sur une chaise pliante.

Après avoir retiré sa veste et dénoué sa cravate, il leva son verre :

— Santé ! Et merci pour cette soirée inoubliable.

Arquant un sourcil, elle leva à son tour son verre.

— Santé. A une soirée que je n'aurais jamais imaginée possible.

Puis ils burent en silence, et Sharlee sentit la tension monter en elle. Jamais elle n'aurait pensé revoir Devlin comme si rien ne s'était passé : avoir une conversation normale, dîner en sa compagnie, l'inviter chez elle. Elle n'était pas du genre rancunier, pourtant, mais ce qu'il lui avait fait était tellement impardonnable…

Elle eut envie de lui rendre la monnaie de sa pièce. Et si elle lui demandait, froidement : « Dev, pourquoi as-tu fait ça ? Pourquoi t'es-tu détourné de moi, alors que… »

— Je vais essayer une dernière fois, annonça Dev, dont la voix interrompit les pensées de la jeune femme.

Posant son verre par terre, à côté du fauteuil, il déboutonna le col de sa chemise et retira sa cravate.

— Que pourrais-je te dire pour te convaincre que ta grand-mère est sincère, qu'elle n'essaie pas de se jouer de toi, et qu'elle s'inquiète vraiment pour ton grand-père ?

— Rien.

— Tes parents t'aiment et souhaitent ton retour.

— Laisse tomber.

— Ta sœur voudrait partager son bonheur avec toi, ton petit frère aimerait mieux te connaître.

— Arrête ! ordonna-t-elle, avant d'avaler une longue gorgée de cocktail.

— Mais enfin ! s'écria Dev, exaspéré. Peux-tu m'expliquer ce que tu trouves de si formidable au Colorado ?

— Ce n'est *pas* La Nouvelle-Orléans, répondit-elle en le regardant droit dans les yeux, voilà ce que je lui trouve de si formidable ! Et puis c'est ici que j'ai fait mes études, je m'y sens bien.

— Quel rapport ? J'étais impatient de rentrer chez nous, quand je faisait mes études à Harvard !

— Autre bonne raison de rester, au cas où tu ne l'aurais pas remarqué, j'ai un travail.

— Un travail si génial que cela ?

— Quelle est ta définition de « génial » ? Je suis journaliste, et c'est ce que j'ai toujours souhaité.

— WDIX emploie des journalistes…

— WDIX emploie des jolies filles télégéniques.

Elle était convaincue depuis longtemps que la presse écrite était nettement supérieure à la télévision.

Pendant un moment, il se contenta de la regarder d'un air déçu. Puis il dit :

— Sharlee Lyon…

— Hollander.

— Comme tu veux. Tu es une snob. En fait, tu es une snob qui ne s'assume pas, ce qui est bien pire.

La jeune femme n'arrivait pas à croire qu'il soit aussi injuste.

— Je suis certainement le seul membre de la famille qui ne soit *pas* snob.

Dev grimaça.

— Pour dire ça, tu connais bien mal ta propre famille.

Sur ce, il vida son verre et le reposa par terre avant de se lever.

— Réfléchis quand même à la demande de ta grand-mère.

— Ce n'était pas une demande mais un ordre.

— Peu importe, je veux que tu y réfléchisses.

— Hors de question.

— Charlotte ! s'exclama-t-il en serrant les poings.

Visiblement, il faisait des efforts pour conserver son calme.

— Tu as le don de me mettre hors de moi comme personne ! J'ignore comment tu t'y prends.

— Si j'y arrive, répondit la jeune femme avec jouissance, c'est certainement parce que je fais tout pour.

— Sans blague, dit-il. Il existe de nombreuses manières de provoquer quelqu'un, et ce n'est pas toujours pour le mettre en colère. A une époque…

Sharlee sentit sa bouche se dessécher, et elle prit une nouvelle gorgée.

— Je ne veux pas entendre parler de cette « époque ». Le passé, c'est le passé.

— Pas si sûr, répondit-il en s'approchant d'elle, le regard déterminé.

Sharlee aurait voulu fuir. Elle aurait voulu lui tourner le dos, se réfugier dans sa chambre et lui claquer la porte au nez. Mais c'eût été un comportement puéril, alors qu'elle essayait de le convaincre — et à travers lui toute sa famille — qu'elle était devenue adulte.

Alors, elle fit face.

— Oublie ça, Dev. Tu ne me fais plus aucun effet.

— Non ? Alors pourquoi ai-je passé ma soirée à croire le contraire ?

— C'est ton problème, rétorqua-t-elle tandis que son cœur commençait à s'emballer.

— Ce n'est absolument pas un problème, dit-il en posant les mains sur les épaules de la jeune femme.

Elle pouvait reculer, se dégager d'un haussement d'épaules. Elle pouvait même crier à pleins poumons, et son voisin haltérophile arriverait avant que Dev ait compris ce qui se passait.

Ou alors elle pouvait soutenir son regard, et lui faire comprendre qu'il n'allait nulle part ainsi.

— Si tu crois me faire peur, tu te trompes, l'informa-t-elle.

— Pourquoi chercherais-je à te faire peur ?

Il lui caressa l'épaule, le cou, la gorge et elle se demanda s'il sentait battre follement sa veine.

Pourtant, elle ne bougea pas. Elle ne l'aimait plus, elle n'appréciait même plus sa présence. Surtout, elle ne lui faisait aucune confiance.

— Tu perds ton temps, Devin, répéta-t-elle.

— Tu n'as donc pas envie de savoir ?

— Savoir quoi ?

— Si certains sentiments peuvent renaître. S'il reste encore une étincelle.

— Je m'en fiche complètement.

En réalité, elle mourait d'envie qu'il l'embrasse — une fois, une seule et rien de plus, juste pour voir ce qu'elle éprouverait.

— Tu mens, affirma-t-il en se penchant vers ses lèvres.

Il était si proche qu'elle dut faire appel à tout son sang-froid pour ne pas flancher.

— Nous ne sommes plus des enfants. En ce moment même, tu te demandes comment ce serait — pareil, mieux ou pire. Personnellement, je parie que ce serait mieux.

— Et moi, je parie que ça ne me ferait… rien du tout.

Il prenait le contrôle de la situation, elle s'en rendait bien compte. Elle devait donc inverser le rapport de force sans plus attendre.

— D'ailleurs, pourquoi ne pas essayer ? proposa-t-elle.

Elle passa ses bras autour du cou de Dev, en faisant attention au verre qu'elle tenait dans sa main droite. Puis, le regardant dans les yeux avec toute l'insolence dont elle était capable, elle l'embrassa.

Pendant un bref instant, elle fut maîtresse du jeu. Tandis qu'elle butinait les lèvres de Dev, la confiance en elle lui revenait : ces petits baisers étaient doux, très doux, mais ils ne l'enjôlaient pas. Elle se sentait capable de se dégager à n'importe quel moment, sachant que…

Seulement, Dev sortit soudain de son impassibilité, et il embrassa Sharlee à son tour. Comme s'il cherchait à la dévorer. Alors, électrisée comme elle n'aurait jamais imaginé l'être, elle comprit qu'elle avait joué avec le feu et qu'elle était en danger.

L'homme qui la tenait dans ses bras était celui qui lui avait appris à embrasser. Pas celui qui lui avait donné son premier baiser, non, celui qui lui avait montré combien un baiser peut être bouleversant, puissant. Une foule de souvenirs et de sensations l'assaillaient, soudain. Et elle lâcha son verre…

— Bon sang, que se passe-t-il ?

Il fallut quelques secondes à Sharlee pour comprendre la situation. A présent, la chemise de Dev était trempée. A la fois mortifiée et saisie d'un rire nerveux, elle ne put que le regarder.

— Tu l'as fait exprès ? s'enquit-il, furieux.

Comme si elle avait été en mesure de lui jouer un tour ! L'idée était ridicule ! Elle sourit, haussa les épaules, et espéra qu'il ne la croyait pas capable d'avoir eu tant de malicieuse présence d'esprit.

Dev se radoucit un peu.

— Très bien, dit-il, mais c'était vraiment un sale tour. Maintenant, tu me dois quelque chose, ma douce.

Cet affectueux surnom commençait à paraître si naturel…

— Je ne te dois rien du tout.

Puis, son sang-froid recouvré, elle regarda ostensiblement en direction de la porte.

— Merci pour cette agréable soirée, Dev.

— Tu crois t'en tirer si facilement…

S'il posait encore les mains sur elle, elle pourrait bien… Dieu seul savait ce qu'elle pourrait faire, d'ailleurs ; elle n'avait aucune envie d'essayer.

— Devin…

— Tu peux faire amende honorable en réfléchissant à ce que je t'ai dit. Concernant ta grand-mère, je précise. Penses-y calmement, avec le cœur. Sharlee, je sais que tu aimes tes grands-parents. Ne laisse pas — je ne sais pas quoi au juste : l'orgueil, l'entêtement ? Une rancune dont j'ignore la raison ? Quelle que soit la cause de ton amertume, ne la laisse pas t'empêcher de faire ce qui est juste.

A mesure qu'il parlait, elle se sentait presque coupable.

— Bon sang, Dev, ce n'est pas honnête.

— En amour et à la guerre, tous les coups sont permis. Promets-moi d'y réfléchir.

— D'accord, j'y réfléchirai, promit-elle afin qu'il s'en aille.

Il soupira.

— Merci. C'est tout ce que je te demande. Tu m'appelles demain matin ? Voilà le numéro de mon hôtel, dit-il en posant une petite carte sur la table.

Elle ne la regarda même pas.

— D'accord.

— Juré ?

— Oui. Maintenant, vas-tu partir ?

Une fois qu'il se serait éclipsé, elle allait réfléchir, oui. Mais à quoi ? songea-t-elle. A la requête de Margaret… ou au baiser qui venait de faire ressurgir toute sa jeunesse ?

Elle l'appela le lendemain matin, avant de partir travailler. Il répondit d'une voix alerte, et même enthousiaste.

— Bonjour, ma douce. C'est gentil d'appeler.

Mais Sharlee n'avait pas envie de faire la conversation.

— Comme tu me l'as demandé hier soir, j'ai réfléchi…

— Et si nous en parlions devant un petit déjeuner ? coupa-t-il. J'ai vu un restaurant qui me semble très sympathique, à mi-chemin de mon hôtel et de chez toi. Je pensais que nous pourrions…

— Non, nous ne pouvons pas ! Devin, ma réponse est non. Dis à grand-mère que je suis désolée.

— Attends…

— Non, toi, attends. Il est inutile que tu prolonges ton séjour dans le Colorado parce que je ne changerai pas d'avis. Merci pour le dîner, et au revoir.

Elle raccrocha ensuite sans même lui laisser la chance de répondre, puis elle resta à côté du téléphone en tremblant. Elle avait fait ce qu'il fallait, la seule chose qu'elle pouvait faire. Elle ne voulait plus jamais le revoir, et elle n'en aurait certainement plus jamais l'occasion.

Quand elle referma la porte de son appartement, le téléphone sonnait de nouveau. Mais elle s'en moquait.

Ou alors elle préférait ne pas s'attarder, de peur de ne pas s'en moquer.

3.

Dev appela le service d'étage et commanda son petit déjeuner, jugeant qu'il ferait mieux de prendre des forces avant d'annoncer la mauvaise nouvelle à la grand-mère de Sharlee. Toutefois, elle s'y attendait certainement.

Pendant qu'il se douchait et se rasait, il se surprit pourtant à se demander pourquoi cela l'agaçait tellement qu'elle ait agi de manière aussi prévisible depuis le début. Quelle que soit la raison qui l'ait éloignée de sa famille — et il se doutait qu'il devait s'agir d'une raison grave —, elle devait se sentir profondément blessée.

Lui aussi l'avait blessée. Il savait qu'elle serait malheureuse quand il lui avait envoyé cette lettre, presque dix ans plus tôt, mais avait-il vraiment eu le choix ? Ils se trouvaient l'un comme l'autre dans une impasse. Il avait passé l'année suivante à essayer d'apaiser les choses, mais elle avait refusé de lui adresser la parole. Et jusqu'à hier, il n'avait même pas réussi à l'approcher d'aussi près.

Apparemment, elle s'en fichait, désormais. Il avait pourtant cru que ce baiser lui avait procuré les mêmes sensations qu'à lui, mais pour qu'elle ait eu la présence d'esprit de faire ce qu'elle avait fait… Le souvenir de la vodka-Tonic glacée dans son dos le fit frissonner.

Malgré tout, il ne put réprimer un sourire. Soit, elle avait gagné cette manche ! Et pour un homme qui aimait les défis, ce n'était pas un mauvais point.

Son plateau arriva et il se servit une tasse de café. Le temps que les œufs brouillés et le bacon refroidissent, il emporta sa tasse vers la fenêtre et observa songeusement le centre-ville de Denver.

Autant appeler Margaret sans plus attendre, et ensuite il préparerait ses bagages et partirait pour l'aéroport. Il avait le sentiment de laisser beaucoup de questions en suspens entre Mlle Hollander et lui, mais il n'y pouvait rien, semble-t-il.

Il composa donc le numéro des Lyon et eut la surprise d'entendre directement la voix de Margaret.

— Devin ! s'exclama-t-elle, d'un ton plein d'espoir.

Hélas, il n'allait pas tarder à la décevoir.

— Tu as vu Charlotte ? Dis-moi qu'elle revient.

— Je l'ai vue, tante Margaret, mais j'ai bien peur qu'elle n'envisage pas une seule seconde la possibilité de revenir. Je suis désolé.

Il y eut un long silence, puis la vieille dame soupira.

— Je suppose que je ne devrais pas être surprise, mais j'espérais tout de même…

— Au moins, elle n'a pas essayé de me faire expulser du Colorado, dit-il pour détendre l'atmosphère. Nous avons même réussi à dîner ensemble tout en restant polis l'un envers l'autre.

— Vous avez dîné ensemble ?

Il perçut un nouvel espoir dans la voix de Margaret et s'en voulut de l'avoir suscité.

— Oui, mais c'est tout. Elle semble heureuse ici et n'a pas envie de rentrer. Je pense que je ferais mieux d'appeler l'aéroport pour connaître les horaires…

— Non, ne fais pas ça.

Il fronça les sourcils.

— Pardon ?

— S'il te plaît, essaie encore, Devin. Tu ne peux pas te contenter d'un refus.

— Mais je ne peux pas non plus la kidnapper et l'embarquer de force dans l'avion. Elle a un travail, un appartement. Bref, elle a fait sa vie ici.

— Elle aura la vie plus belle à La Nouvelle-Orléans, répondit Margaret. Quant à son travail… Il s'agit d'un petit journal, d'après ce que j'ai compris.

— Oui, le *Courier de Calhoun*. Elle semble adorer y travailler.

— C'est ce dont elle veut te persuader, dit Margaret, qui avait retrouvé un ton catégorique. Mais elle *doit* revenir. Si elle refuse de démissionner, je ferai tout ce que je pourrai pour la faire changer d'avis. J'irai jusqu'à acheter moi-même le journal et la faire licencier.

Stupéfait, Dev se laissa tomber dans un fauteuil.

— Vous n'êtes pas sérieuse.

— Je ne plaisante jamais quand il s'agit de la famille, répondit-elle avec une grande confiance en elle.

— Vous le feriez vraiment — acheter le journal et la licencier ?

— Pour Paul, oui, et même plus. S'il te plaît, retourne la voir et essaie encore. Dis-lui, promets-lui n'importe quoi, et ensuite appelle-moi pour *tout* me raconter.

Sharlee ne se sentait pas au mieux de sa forme quand elle arriva au bureau, et il lui fallut un certain temps avant de comprendre qu'il se passait quelque chose.

Tout le monde paraissait trop gentil avec elle — même Eric, qui lui apporta deux beignets.

— Alors, comment ça va ? demanda-t-il, en s'attardant.

— Bien. On fête quoi ? s'enquit-elle en montrant les beignets.

— Rien… Au fait, nous avons tous été surpris, hier.

— Surpris par quoi ?

— Eh bien, répondit-il en regardant le plafond, par Mlle Lyon.

C'était donc cela… Tout le monde savait maintenant que Sharlee Hollander était en réalité un membre de la famille Lyon de La Nouvelle-Orléans. En tant que journalistes, ils devaient connaître Paul Lyon et la liste de toutes les récompenses qu'il avait reçues ; ils avaient certainement entendu parler de WDIX-TV et de son cinquantenaire, et cela grâce à l'importante couverture médiatique de l'événement.

Subitement, elle n'était plus leur pair. Ils la plaçaient malgré elle au-dessus d'eux. A ce train-là, ils lui demanderaient bientôt de les pistonner pour entrer à WDIX.

Une deuxième fois, Dev avait réussi à tout gâcher…

Eric vit Bruce Rivers sortir de son bureau et regarder tout autour.

— Elle est partie ?

— Qui ?

— A ton avis ? Sharlee, évidemment !

Eric haussa les épaules. Personne ici ne savait jamais ce qui pouvait passer par la tête de Bruce.

— Oui, répondit Eric. Elle est sortie. Elle avait cette réunion de la commission de l'urbanisme, et…

— Tu crois que je ne connais pas le planning de mes journalistes !

Bruce s'assura de nouveau qu'ils étaient seuls. Les épaules voûtées, le regard inquiet, on aurait dit un malfaiteur qui surveillait les environs. Faisant signe à Eric de le suivre, il retourna dans son bureau.

— Ferme la porte !

Eric s'exécuta et chercha un endroit pour s'asseoir — un désordre effrayant régnait toujours dans le bureau de Bruce. Il avisa une chaise croulant sous une pile de vieux journaux, qu'il posa par terre.

— Que se passe-t-il ?

— Que sais-tu au sujet de Sharlee ?

— Eh bien, commença Eric en haussant les épaules, je pense qu'elle fera un excellent travail aux informations locales.

— Pas ça ! s'exclama Bruce. Je veux dire, sur un plan personnel.

— Pas grand-chose, en fait.

— Je croyais que tu étais sorti avec elle.

— Oui, une ou deux fois.

— Et alors ?

— Elle loue un appartement dans le nord de la ville. Le quartier est agréable, mais c'est très modeste. Sa voiture menace de rendre l'âme à tout instant — tu le sais, puisqu'elle arrive en retard au moins une fois par semaine pour ne pas avoir réussi à démarrer le matin.

— Oui, oui. Quoi d'autre ?

— Elle a des goûts de luxe, mais elle essaie de faire attention.

— Tu sais qu'un type est venu la voir, hier ?

— Oui, tout le monde le sait.

— Il a demandé Charlotte Lyon.

— Je sais.

— Et Sharlee a répondu.

— Oui, et alors ?

— Alors, elle est une Lyon !

Eric ne se sentait pas particulièrement perturbé.

— Tu veux dire de la famille Lyon de La Nouvelle-Orléans ? Oui, c'est bien ce que nous avions compris avec les autres.

— Les Lyon de La Nouvelle-Orléans, répéta Bruce, comme fasciné. La Voix de Dixie, un prix Pulitzer et une station de télévision…

Visiblement trop nerveux pour rester en place, Bruce se leva d'un bond et commença à arpenter son petit bureau comme un lion tourne en cage.

— J'ai postulé une fois là-bas, je n'ai pas été retenu, reprit-il.

— Dommage, se contenta de dire Eric.

— A ton avis, pourquoi voulait-elle garder le secret ? demanda Bruce, qui semblait le prendre comme un affront personnel. Pourquoi se fait-elle appeler Hollander et vit-elle dans le Colorado comme si elle se cachait ? Je ne comprends pas…

— Elle a peut-être eu des démêlés avec la justice. Ou bien sa famille l'a reniée…, suggéra Eric en plaisantant. Ou elle a fugué. Ou elle joue au reporter pour s'amuser. A moins qu'elle n'ait été kidnappée pendant son enfance… Qu'est-ce que j'en sais ?

Lassé par l'agitation fébrile de son rédacteur en chef, Eric se leva et dit :

— Si c'est tout, je vais partir. Il est l'heure que je rentre chez moi.

— Comme tu veux. File.

Une fois seul, Bruce continua d'aller et venir dans son bureau. Sharlee Hollander, née Charlotte Lyon, était douée pour la rubrique « style de vie », et elle pourrait bien devenir une excellente reporter. Mais c'était surtout son nom qui, aujourd'hui, lui donnait de la valeur !

Déterminé, il décrocha son téléphone et appela les renseignements. Le seul Lyon dont il se rappelât le nom était Paul, connu dans tout le pays. Il composa donc le numéro de cette légende vivante du journalisme et demanda à lui parler. Au bout de quelques instants, une voix féminine affable, avec une légère pointe d'accent du sud, prit la communication.

— M. Lyon n'est pas disponible pour l'instant. Je suis Mme Paul Lyon. Puis-je vous aider ?

La réunion extraordinaire de la commission municipale d'urbanisme sembla s'étirer en longueur, et le point le plus important de l'ordre du jour — l'approbation de la création d'un grand lotissement de la taille d'un quartier, qui ajouterait des milliers de résidents à la ville — était malheureusement aussi le dernier. Toutefois, Sharlee était trop heureuse de sa récente promotion pour compter son temps.

Quand elle se gara enfin devant chez elle, il était près de 21 heures. Elle était partie ce matin juste avant 8 heures et se sentait épuisée, mais aussi ravie du nouveau tournant qu'avait pris sa vie professionnelle.

Elle était capable. Elle avait même déjà trouvé un titre percutant pour…

Clé en main, elle se figea devant sa porte. Avait-elle entendu du bruit à l'intérieur ?

Elle tendit l'oreille, aux aguets. Elle avait laissé son téléphone portable dans la voiture. En fait, il s'agissait du téléphone du journal. Quelques mois plus tôt, elle avait dû, en effet, choisir entre l'abonnement pour un téléphone personnel ou l'achat d'un nouvel ordinateur portable, car elle ne pouvait pas se permettre les deux. Si elle avait eu ce téléphone, en ce moment précis, elle aurait pu appeler la police. Et s'il s'agissait d'une fausse alerte, eh bien, elle survivrait.

Comme elle n'entendit plus aucun bruit, elle se décida

finalement à ouvrir la porte et à entrer. Et elle resta clouée sur le seuil.

Devin Oliver se tenait sur le seuil de la cuisine, une cuiller de bois dans une main, un tablier noué autour de la taille — et, pour comble, il était terriblement sexy ainsi.

— Je t'ai entendue arriver, Sharlee, alors j'ai mis les écrevisses à réchauffer.

Agacée, elle posa le dossier de la commission de l'urbanisme et son calepin sur la table basse, à côté de l'ordinateur.

— Mais que fais-tu ici ? J'ai failli appeler la police !

Il afficha une expression innocente :

— Est-ce que ce n'est pas évident ?

Et il lui sourit. De ce sourire qui pouvait faire fondre les glaciers.

— Non, pas pour moi. Je ne pars jamais sans fermer ma porte à clé. Qui t'a fait entrer ?

— Ton voisin d'en face. Celui qui a le double de tes clés.

Elle avait du mal à croire qu'il avait réussi à convaincre Brawny Bill Bolliver.

— Que lui as-tu raconté pour qu'il te fasse confiance ? Tu aurais pu être un cambrioleur, ou un tueur en série. Ou encore un maniaque.

Faussement vexé, il répondit :

— J'en ai l'air ?

— Quel rapport ? La plupart des criminels ressemblent à M. Tout-le-monde. Et puis tu es censé être reparti pour La Nouvelle-Orléans.

Ce n'était vraiment pas juste ! Au début, elle avait eu peur, parce qu'elle ne savait pas *qui* avait violé son intimité. Et maintenant qu'elle connaissait l'identité de l'intrus, elle ne se sentait guère plus rassurée. Elle qui le croyait sorti de sa vie pour toujours, rien ne l'avait préparée à le trouver chez elle, dans ses murs, dans sa cuisine !

— J'ai changé d'avis, expliqua-t-il calmement. Ou plus exactement, ta grand-mère a changé d'avis pour moi.

Puis, se tournant vers la cuisinière, il ajouta :

— Pardonne-moi, il faut que j'aille surveiller mon étouffée.

— Tu prépares de l'étouffée ? demanda-t-elle, abasourdie.

Cela faisait en effet des années qu'elle n'avait pas mangé d'étouffée, de jambalaya ni aucun autre plat cajun de son enfance. Elle avait projeté de manger dans un bon restaurant au mois de juillet, lors de sa visite à La Nouvelle-Orléans, mais elle n'avait finalement pas eu le temps.

Dev hésita et son expression se radoucit.

— Ma douce, on dirait que tu en salives déjà. Eh bien oui, j'ai préparé de l'étouffée. J'ai dû me contenter d'écrevisses congelées, précisa-t-il avec une grimace, et encore, j'ai dû sillonner une partie de la ville pour en trouver.

Elle sentait maintenant le délicat fumet épicé qui s'échappait de la cuisine.

— Mais je ne peux pas manger maintenant, gémit-elle.

— Pourquoi ? Tu as déjà dîné ?

— Non, mais... il est 21 heures passées, et si je mange maintenant, je ne pourrai plus dormir.

— Comme tu voudras. J'ai déjà mangé, de toute façon. Je mettrai le reste au réfrigérateur et tu en profiteras demain.

— Hors de question !

Il éclata de rire.

— Allez, assieds-toi et je m'occupe de toi.

Un petit frisson d'excitation parcourut la jeune femme. Il s'était déjà occupé d'elle, une fois, et elle le regrettait encore...

Pourtant, elle prit place devant la table basse, fermant les yeux pour mieux apprécier les arômes en provenance de la cuisine. Mieux valait penser au repas, pour l'instant...

*
* *

Avec un soupir de satisfaction, Sharlee repoussa son assiette vide.

— Je ne pourrais pas avaler une bouchée de plus, Dev. C'était délicieux. Je ne me doutais pas que la cuisine de Louisiane me manquait autant.

— Tant mieux si cela t'a fait plaisir.

— J'ignorais que tu étais un aussi bon cuisinier.

— J'ai de nombreux talents cachés.

La remarque de Dev la ramena vers d'autres réalités.

— Comme entrer par effraction chez les gens ?

— Sharlee…

Il eut le bon goût d'être désolé, ou du moins de faire semblant.

— Quand ta grand-mère m'a demandé de ne pas revenir sans toi…

— Elle t'a vraiment demandé cela ?

— Absolument. Elle veut que tu rentres à La Nouvelle-Orléans, et je ne pense pas qu'elle soit prête à essuyer un refus. Alors, j'ai pensé qu'un bon dîner te ferait certainement plaisir. Je suis allé faire les courses, et je suis venu. J'ai réussi à entrer et, une fois ici, je me suis rendu compte que je ne savais absolument pas à quelle heure tu allais rentrer.

— Tu sembles pourtant t'être parfaitement organisé, fit-elle remarquer avec un air soupçonneux.

— C'est parce que j'ai appelé ton journal. Un type de la rédaction m'a dit que tu assistais à une réunion qui devrait durer environ trois heures. Alors j'ai tout préparé, sauf la touche de dernière minute, et j'ai patienté.

— D'accord. Je reconnais que le repas était exquis, mais ne crois pas que tu vas m'acheter avec de l'étouffée. Tu es à la solde de grand-mère, c'est tout, et je ne reviendrai pas avec toi à La Nouvelle-Orléans, quand bien même tu me mijoterais de bons petits plats chaque jour de la semaine.

— Soit, se contenta-t-il de répondre.

Elle cligna des yeux.

— Soit ?

— Oui, après tout, pourquoi pas ? Je suis heureux que tu restes fidèle à tes principes, expliqua-t-il en débarrassant.

— Vraiment ?

— Eh oui ! Tant que tu refuseras d'entendre raison, j'ai droit à des vacances tous frais payés dans le Colorado. Parce que Margaret Lyon m'a expliqué clairement que si je ne rentrais pas avec toi, il était inutile de rentrer. Fin de la discussion.

— C'est ridicule, dit-elle en riant.

— Peut-être, mais on ne discute pas avec la Reine de fer, répondit-il avec un clin d'œil.

Après avoir emporté les plats dans la cuisine, il revint avec deux tasses de café.

— Non merci, dit-elle.

— C'est du déca.

Il posa une tasse devant la jeune femme, et elle vit qu'il avait déjà ajouté du lait. Il se souvenait donc de ce qu'elle aimait ? Mais se rappelait-il *tout* — ou seulement quelques détails sans importance ?

Sans le regarder, elle dit :

— Je suis trop fatiguée pour discuter.

— Alors ce serait ça, le secret ? Attendre que tu sois épuisée pour que tu te montres enfin gentille et agréable ?

Gentille et agréable, elle ? Elle détestait entendre ces mots-là de la bouche de cet homme. Imaginer qu'il la trouvait vulnérable — alors qu'elle avait eu l'intention de se montrer forte face à lui. Mais comme elle ne trouvait aucun reproche à lui faire, elle préféra se dérober.

— J'ai eu une dure journée, tu sais.

— Ma pauvre Sharlee. Bois ton café, et tu te sentiras mieux.

Elle avala une gorgée, puis demanda impulsivement :

— Dev, pourquoi as-tu démissionné de WDIX ? Vraiment ?

— Je te l'ai dit. Je...

— Non, je ne veux pas une explication vague, répondit-elle énergiquement. Je veux connaître la vérité. Parce que je pensais que tu avais toujours voulu travailler à la télévision.

Le visage de Dev se fit sérieux.

— La politique, fit-il par répondre.

— Quel rapport avec la politique ? Tu n'étais pas journaliste, alors...

— La politique de la famille, précisa-t-il.

— J'ai peur de ne pas comprendre.

— Ils voulaient tous que je travaille pour eux. Je ne pouvais satisfaire tout le monde, et je ne pouvais me résoudre à choisir. Alors je suis parti.

Elle le regarda avec un respect tout neuf.

— Nous appartenons à une famille compliquée, Dev, dit-elle en soupirant. Je te comprends. Pourquoi avoir choisi d'acheter un restaurant ?

— Il s'agit plutôt d'un café. C'était un peu le fruit du hasard. Je cherchais à investir dans une affaire. J'ai retrouvé un ami d'école. Il est chef. Et comme j'ai plus ou moins grandi dans le milieu de la restauration, cela m'a semblé logique.

— Etait-ce un de tes rêves, de posséder ton propre restaurant ?

Il haussa les épaules.

— Pour être tout à fait honnête, je ne suis toujours pas certain de savoir ce que je veux faire quand je serai grand. Le café, c'est une façon de m'occuper, le temps que je me décide. J'aimais la télévision, mais à La Nouvelle-Orléans..., dit-il en hochant la tête, comme s'il rejetait ses années passées à WDIX.

— Tu pourrais quitter La Nouvelle-Orléans, suggéra-t-elle doucement. Ce n'est pas la seule ville de ce pays…

— Mais c'est chez moi, dit-il. Tous ceux que j'aime y habitent.

Elle sentit un pincement au cœur. Tous ceux qu'elle aimait s'y trouvaient aussi, mais elle était pourtant partie. Les liens de Dev étaient peut-être plus forts, bien que sa mère soit maintenant décédée…

— Je suis désolée pour ta mère, dit-elle soudain. Leslie m'a avertie.

— Merci, mais inutile de changer de sujet. Est-ce que le *Courier* correspond à ton idée du paradis ?

— Pas franchement, concéda-t-elle en riant. J'aimerais beaucoup travailler en Californie, mais c'est ce que souhaitent tous les journalistes.

Elle sentit une légère douleur entre les épaules, et elle se redressa.

— Tu pourrais déménager et commencer à chercher du travail sur place…

— Je vivrais de quoi, en attendant de trouver un poste ? Ma situation financière n'est pas… florissante. J'ai eu beaucoup de dépenses imprévues ces derniers temps.

Comme les fréquents séjours au garage de sa voiture, ou bien le remboursement des dettes accumulées quelques années plus tôt, quand elle avait encore l'espoir de disposer de l'argent qui lui revenait… Elle avait jeté ses multiples cartes de crédit depuis deux ans, mais elle en avait encore pour des années avant de se refaire.

— Tu pourrais vivre de tes charmes, dit Dev avec un grand sourire.

Puis, retirant les coussins du fauteuil, il les installa par terre et lui fit signe d'approcher.

Machinalement, elle se recula.

— Quoi ?

— Tu m'as l'air tendue. Viens là, que je défasse tous ces nœuds.

— Quels nœuds ?

— Les nœuds de ton dos, de tes épaules, de ton cou. Allez, approche, Sharlee, nous n'allons pas y passer la nuit.

Elle n'arrivait pas à croire qu'il parlait sérieusement.

— Tu veux que je m'allonge par terre ?

— Exactement. Et tu ne le regretteras pas. Je suis sorti plusieurs mois avec une kinésithérapeute, et elle m'a appris certains trucs. Fais-moi confiance, tu te sentiras mieux.

Confiance ? Impossible, avec lui. Elle l'avait appris à ses dépens quelques années auparavant.

— Je m'en passerai, répondit-elle sur un ton très digne.

Puis elle se leva. Mais malgré tous ses efforts, la douleur la fit grimacer.

— Eh bien, on peut dire que tu es têtue.

Cette fois, il la prit par les épaules, l'entraîna de force vers les coussins et la fit doucement s'asseoir. Prise de court, elle lui lança un regard soupçonneux.

— C'est bon, la rassura-t-il. Je saurai me tenir. Promis.

— Je ne pensais pas à ça…

Ensuite, il la fit se retourner pour l'allonger sur le ventre, et elle cessa de protester. Elle ne sentit bientôt plus que le contact tiède et sensuel des mains de Dev…

— Ce serait mieux si tu enlevais ta chemise, murmura-t-il. Enfin, tu peux la garder, mais ce sera moins efficace.

— C'est comme ça ou rien, répliqua-t-elle.

Puis elle laissa échapper un gémissement de satisfaction.

— Mmm… Comme c'est bon.

— Merci. Relâche-toi…

Se relâcher ? Comment faire ?…

— J'ai vu Leslie, l'autre jour, dit-il tout en la massant.

Il s'installa à califourchon sur elle, la pressa de ses cuisses puissantes. Puis il promena les mains sur son dos, pétrissant chaque muscle. Physiquement, elle se sentait mieux ; pourtant, la tension qu'elle éprouvait intérieurement ne cessait de monter.

— Euh… C'est peut-être… suffisant, protesta-t-elle faiblement. Tu peux…

— Encore une minute.

Les mains magiciennes glissèrent sur ses omoplates, sa colonne vertébrale, ses côtes avant de s'attarder sur ses reins et sa taille. Elle avait envie de protester encore, de s'indigner qu'il use de ces moyens-là pour la convaincre de rentrer à La Nouvelle-Orléans, de lui crier d'ôter ses mains de là ! Seulement, pas un mot ne sortait…

— Tu te sens mieux ? demanda-t-il.

— Oui, dit-elle d'une voix étranglée.

— Nous avons presque terminé.

Il enfouit alors les mains dans les cheveux de Sharlee et lui massa la tête, les tempes. La sensation était divine, surtout lorsqu'il atteignit sa nuque et glissa le long de son cou. Elle se sentait à la fois sans force et tendue comme la corde d'un violon. En fait, elle éprouvait une sorte de vertige.

Une petite tape sur les fesses la ramena à la réalité, et le charme fut rompu.

— Tu vas bien dormir, dit-il doucement.

Dormir ? Après un massage si bouleversant ? Il l'avait plutôt perturbée…

Elle se contenta de rouler sur le dos. Il se tenait au-dessus d'elle, la tenait encore prisonnière entre ses jambes.

— Merci.

Elle ne fit aucun mouvement pour se lever. Depuis combien de temps n'avait-elle pas été aussi troublée par un homme ? Longtemps. *Trop* longtemps, en fait.

— Tu veux que je t'aide ? proposa-t-il en lui tendant la main.

— Je peux me relever toute seule. M… merci pour tout. Le dîner, le massage. Maintenant, il est tant que je me couche.

— Tu as une dure journée, demain aussi ?

— Toutes mes journées sont dures.

« Surtout depuis que tu te trouves dans la même ville que moi », aurait-elle pu ajouter.

— D'accord, je te laisse, dit-il en se dirigeant vers la porte. Et pour Margaret ?

— Dis-lui que je l'aime et que je ne rentre pas à Lyoncrest.

— Elle n'a pas exigé que tu habites le manoir familial — même si je me doute qu'elle aimerait bien t'y accueillir. Elle veut seulement que tu sois sur place, au cas où quelque chose arriverait à…

— Au cas où un membre quelconque de ma famille aurait envie de diriger ma vie à ma place. Hors de question. Je sais ce que cela donne.

— Soit, je lui transmettrai le message. Dors bien, ajouta-t-il en lui adressant un petit salut de la main.

— Pas de problème.

Mais elle ne réussit pas à fermer l'œil…

4.

— Renvoyée ? Mais, mais…, bafouilla Sharlee, qui fixait sur Bruce son regard incrédule.

C'était ridicule, il ne pouvait pas la renvoyer après lui avoir accordé une promotion la veille ! Inspirant profondément, elle tenta de reprendre ses esprits.

— Ecoute, dit-elle, je suis allée à la réunion de la commission de l'urbanisme hier soir, et j'ai de quoi écrire un bon papier.

— J'en suis sûr.

— Et je me suis présentée à tous les conseillers, en leur annonçant que je me chargeais désormais de l'information locale.

— Cela n'a plus aucune importance, répondit Bruce. Tu es renvoyée. Ou plutôt licenciée.

— Appelle cela comme tu voudras, Bruce. Mais… tu ne veux pas au moins que je rédige le compte-rendu de la réunion ?

— Je vais demander à quelqu'un d'autre de s'en charger à partir de tes notes. Tu pourras prendre ton chèque à l'accueil, en passant, dit-il, visiblement mal à l'aise. Je suis vraiment navré, Sharlee… Nous devons réduire nos dépenses et comme c'est toi qui as le moins d'ancienneté dans le service… C'est comme ça.

Elle avait dû manquer quelque chose, et elle chercha en

vain une explication. Personne ne lui avait jamais fait aucun reproche sur son travail, alors que se passait-il ?

— D'accord, dit-elle. Laisse-moi au moins reprendre ma chronique « style de vie ».

— Désolé, répondit Bruce, en hochant la tête. Ce n'est pas possible. Tu appartiens désormais au service Actualités, et c'est là que je dois faire des coupes budgétaires.

— Bruce ! C'est dément !

Et soudain, elle commença à comprendre. Posant les mains sur le bureau, elle se pencha vers Bruce et le regarda droit dans les yeux.

— Aurais-tu par hasard parlé avec un membre de ma famille au cours des dernières vingt-quatre heures ? demanda-t-elle.

— Absolument pas, se défendit Bruce.

Mais son air gêné le trahissait.

— Tu mens ! Comment oses-tu me faire un coup aussi sournois ? Est-ce ma grand-mère qui t'a demandé de me renvoyer ?

— Je ne sais pas de quoi tu parles...

Il le savait très bien, au contraire, pensa Sharlee.

— Que t'a-t-elle promis ? insista la jeune femme. De l'argent ? Un poste à WDIX ?

Elle se redressa, l'effet de surprise le cédant peu à peu à l'indignation.

— J'espère au moins que tu n'as pas vendu ton âme trop bon marché. Ce genre d'occasion ne se présente pas tous les jours.

Bruce baissa les yeux.

— Sharlee... Charlotte, ce n'est pas ce que tu crois... Pas exactement. Je... C'est que, quand tu...

— Laisse tomber, Bruce. Je comprends tout à fait ce qui se passe, et tu sais quoi ?

Elle se dirigea vers la porte, qu'elle ouvrit en grand de

manière à ce que tous les journalistes présents dans la rédaction puissent entendre :

— Ce n'est pas toi qui me licencies, c'est moi qui *démissionne !*

Puis elle prit un malin plaisir à claquer la porte derrière elle. Voyant ses anciens collègues la regarder avec des expressions abasourdies, elle redressa les épaules et se prépara à les affronter.

Eric vint à son secours.

— Sale coup, Sharlee.

Les autres journalistes prirent alors la parole.

— Oui, sale coup. C'est une honte. Injuste.

Sharlee savait depuis longtemps que la vie était rarement juste. Elle prit une profonde inspiration et se dirigea vers son bureau.

— Il m'a eue par surprise, c'est tout. De toute manière, j'étais sur le point de démissionner, alors…

Personne ne la crut, mais ils hochèrent tous la tête en signe de compréhension.

— S'il y a quelque chose que je…, commença Eric en regardant autour de lui.

Avant de reprendre :

— … que *nous* puissions faire…

Elle fut incapable de sourire.

— Merci, cela ira. A moins que vous ne puissiez m'indiquer des pistes d'emploi.

Devant les mines désemparées de ses collègues, elle affirma :

— Je vais me débrouiller.

Elle ouvrit ensuite les tiroirs de son bureau et en retira tous les objets personnels accumulés au cours des onze dernières années, en s'efforçant de ne pas penser à sa situation, à l'intervention sournoise de sa grand-mère, ni à son avenir, qui ne paraissait plus aussi prometteur.

Et surtout, elle essaya de ne pas penser qu'elle allait devoir se mettre en quête d'un autre emploi...

Puis elle quitta la salle de rédaction en s'efforçant de ne pas craquer.

Licenciée.

Soudain, la réalité la frappa de plein fouet. Jamais encore elle n'avait été licenciée, et la sensation était horrible. Elle se sentait comme une moins que rien.

Qu'allait-elle faire, maintenant ? Elle monta dans sa voiture et, d'une main tremblante, introduisit la clé dans le démarreur. Le moteur sembla se réveiller doucement. Il toussota deux ou trois fois, mais il consentit à démarrer.

C'était un beau matin du mois d'août, et Sharlee rentrait chez elle. Encore qu'elle ne s'était jamais vraiment sentie chez elle, dans cet appartement. Elle n'avait fait aucun effort pour le rendre plus accueillant. En fait, elle n'avait jamais envisagé de rester longtemps à Denver, comptant plutôt se servir du *Courier* comme d'un tremplin vers une carrière plus intéressante. Aujourd'hui, il s'agissait peut-être plutôt d'un tremplin vers l'oubli...

Elle s'arrêta à un feu rouge. Il valait sans doute mieux voir le côté positif de la situation : maintenant, elle avait une excellente raison de se secouer un peu. Elle allait prendre le taureau par les cornes, passer des coups de fil, consulter les offres d'emploi sur Internet, voir l'état du marché du travail...

Un coup de Klaxon la tira de ses réflexions, et elle tourna à gauche, dans sa rue. Au moins, elle avait toujours un moyen de transport, s'il fallait qu'elle se rende à des entretiens d'embauche en dehors de la ville.

C'est alors que le moteur toussa une dernière fois et rendit l'âme, et qu'elle se retrouva en train de descendre la rue en roue libre dans un silence irréel… Elle tourna le volant pour diriger le véhicule vers le trottoir, et elle inspira profondément tandis que la tristesse la submergeait.

Avec un soupir résigné, elle tourna la clé dans le démarreur. Le moteur gronda. Elle fit une nouvelle tentative. Le grondement se fit plus court et plus faible.

A la troisième tentative, rien.

— Je suis maudite ! s'exclama-t-elle.

Puis elle ferma les yeux et posa la tête sur le volant.

Pourquoi ne fut-elle pas surprise de trouver Dev, qui attendait dans l'entrée de l'immeuble ?

— Toi ! s'exclama-t-elle en s'avançant vers lui et en lui donnant un coup de sac sur le bras.

— Aïe ! cria Dev, en se frottant le bras. Quel est le problème ?

— Je te hais. Mais ce n'est pas un problème. Seulement une constatation.

— Mais…

— Devin Oliver, je pourrais te tuer pour ce que tu viens de me faire.

Une silhouette massive descendit les quelques marches qui se trouvaient sur la droite.

— Que se passe-t-il ici ? Ce type t'ennuie, Sharlee ? demanda Brawny Bill Bolliver, dont le débardeur et le short révélaient une musculature d'haltérophile.

— Ça, oui, il m'ennuie, répondit-elle sur un ton énervé.

— Tu veux que je m'occupe de lui ? demanda Bill, en frappant un de ses gros poings dans la paume de sa main.

Se tournant, il reconnut alors l'importun.

— Hé, salut, Dev ! Comment va ?

— Elle est folle de rage contre moi, répondit Dev, mais j'ignore pourquoi.

— Menteur.

Se tournant vers Sharlee, Bill proposa :

— Je peux le jeter dehors, si tu veux. Désolé, Dev, mais il faut que quelqu'un s'occupe de Sharlee.

— Je comprends tout à fait.

Les deux hommes se tournèrent vers elle, et elle se retint de ne pas les gifler tous les deux. Au lieu de quoi, elle se dirigea vers l'escalier qui menait vers son appartement, au premier étage.

— Je me fiche que vous vous entretuiez ou pas. Maintenant, vous m'excuserez, mais je vais m'ouvrir les veines, et je vous serais reconnaissante de me laisser tranquille.

Puis elle monta les marches d'un pas vif.

— Elle plaisantait, n'est-ce pas ? demanda Bill en se tournant vers Dev.

— Je pense, mais je vais tout de même la suivre pour m'en assurer.

Elle réussit presque à claquer la porte au nez de Dev, mais celui-ci parvint à la bloquer avec un pied.

— Va-t'en ! ordonna-t-elle en tentant de le repousser.

— Hors de question, tant que tu ne m'auras pas expliqué ce qui se passe.

— Comme si tu ne le savais pas !

— Je te jure que je ne suis au courant de rien. Explique-moi.

— J'ai été licenciée ! répondit-elle en renonçant à repousser Dev et en posant son sac sur le fauteuil.

— Tu plaisantes ?

— Est-ce que j'ai l'air de plaisanter ?

— Non. Tu as l'air de quelqu'un sur le point de s'en prendre à quelque chose ou quelqu'un. Peux-tu te calmer assez longtemps pour tout me raconter ?

Elle se retourna pour lui faire face.

— D'accord, je vais faire semblant de croire que tu es un spectateur innocent.

Après avoir pris une profonde inspiration, elle reprit :

— Je suis allée au travail, ce matin, et mon rédacteur en chef — mon *ancien* rédacteur en chef — m'a renvoyée. Il m'a raconté qu'il devait réduire les effectifs pour cause de restrictions budgétaires, mais je ne l'ai pas cru.

Après avoir émis un sifflement, Dev reconnut :

— Je comprends que tu sois énervée.

— Et ce n'est qu'une partie de l'histoire, dit-elle en commençant à marcher de long en large. On l'y a poussé. Il a parlé avec quelqu'un, probablement grand-mère. Elle l'a acheté, lui a proposé quelque chose en contrepartie.

— Tu en es sûre ?

Elle s'arrêta de marcher pour lui adresser un regard furieux.

— Elle t'a bien proposé quelque chose, non ?

— Je n'ai jamais dit cela.

— Je connais bien le système, Dev. Qu'a-t-elle fait ? Elle a financé ton restaurant ?

Dev ne cilla pas.

— Elle le voulait, mais j'ai refusé.

— Dans ce cas, que fais-tu ici si tu n'as rien à y gagner ?

Il réfléchit un instant, puis répondit :

— Je te l'ai dit : j'aime beaucoup ta grand-mère. Elle a vraiment été gentille avec moi pendant toutes ces années, et je… je lui suis redevable.

— Oui, c'est ce qu'elle aime. Comme tous les autres.

Posant les mains contre ses joues brûlantes de colère et d'humiliation, elle ajouta :

— Pourquoi ai-je l'impression que tu me caches quelque chose ?

Cette fois, Dev sembla mal à l'aise.

— Parce que c'est bien le cas. Je suis aussi venu ici par curiosité. Comme tu n'as même pas voulu m'adresser la parole, le mois dernier…

— Il y en a marre, à la fin ! Si je m'étais doutée qu'une simple rebuffade nous conduirait *là*, je t'aurais saoulé de paroles !

Elle essaya de calmer sa colère, avant de reprendre :

— J'ignore quel type d'arrangement grand-mère a promis à Bruce, mais il m'a renvoyée et en rentrant chez moi…

Elle cligna des yeux pour empêcher ses larmes de couler. Hors de question, en effet, qu'il la voie pleurer.

— En rentrant chez moi, ma voiture est tombée en panne. Je savais qu'elle était en mauvais état, mais je pensais qu'elle pouvait tenir encore quelques kilomètres…

— Tu es rentrée à pied ?

Avec un sourire cynique, elle répondit :

— Le service de bus de cette ville est, au mieux, imprévisible.

— Ma pauvre Sharlee.

Il s'approcha d'elle comme pour la prendre dans les bras, mais elle le repoussa, craignant de ne pas résister à cette manifestation de pitié.

— C'est aussi à cause de toi si j'en suis là, Devin. Tu es aussi coupable que grand-mère, alors n'essaie pas de m'endormir avec ta compassion hypocrite.

— Il n'y a aucune hypocrisie de ma part. Par ailleurs, je dois t'avouer que cela ne m'étonnerait pas, en effet, que ta grand-mère soit impliquée.

— Tu vois !

— Et si elle est vraiment responsable, elle a commis une erreur. Toutefois, elle a des circonstances atténuantes, puisqu'elle fait ce qu'elle croit le meilleur pour son mari, et aussi pour toi. Ne mérite-t-elle pas un peu d'indulgence ?

— Après m'avoir mise dans un tel pétrin ? Non !

Il lui adressa un regard qui aurait pu être interprété comme de la déception.

— D'accord, Sharlee. Comme tu voudras…

Surprise, elle cligna des yeux : jamais elle n'aurait cru qu'il abandonnerait aussi facilement.

— Eh bien, commença-t-elle, dans ce cas…

Sans ajouter un mot, il se tourna vers la porte.

— Où comptes-tu aller ? demanda-t-elle.

— A la maison.

— Tu veux dire, à La Nouvelle-Orléans ?

— C'est bien ce que je veux dire, répondit-il, une main sur la poignée de la porte.

— Devin Oliver, reviens ici tout de suite !

— Pardon ? dit-il en se retournant, l'air complètement innocent.

Contrariée au point qu'elle pouvait à peine parler, Sharlee lui lança un regard furieux.

— Tu n'as pas l'air de comprendre dans quelle situation inconfortable je me trouve.

— Je pense que si.

— Tu parles ! Si tu disais vrai, tu ne semblerais pas aussi blasé.

— Je ne suis pas…

— C'est mon tour de parler, dit-elle en s'avançant vers lui, l'air menaçant. Tu as débarqué dans ma vie sans y être invité, et tu l'as entièrement gâchée. Tu m'as fait renvoyer…

— Je n'y suis absolument pour rien.

— Si, au moins indirectement. Sans toi, personne au journal

n'aurait su que j'étais une Lyon. Tu m'as fait renvoyer, et maintenant tu envisages de repartir comme tu es venu ? Tu vas me laisser derrière toi avec un salaire d'avance, sept dollars en liquide, quatre cent trente-deux dollars en banque, pas de travail, une guimbarde et pas un projet ? demanda-t-elle sur un ton qui exprimait toute son indignation.

— Tu as un problème, admit-il.

— Bravo, Sherlock !

— Arrête d'être de mauvaise humeur.

Puis, avec une expression qui semblait complètement calculée, il ajouta :

— J'ai une idée.

— Oui, et je la connais.

— Une autre idée.

— Si elle ressemble de près ou de loin à la précédente…

— Calme-toi, Sharlee, et laisse-moi une chance. J'essaie de t'aider. Je me détesterai certainement demain matin, mais…

— Jusque-là, j'aime bien, répondit-elle, les poings sur les hanches.

— Si tu rentres à La Nouvelle-Orléans avec moi, je t'embaucherai comme serveuse au Bayou Café. Salaire minimum, plus les pourboires.

— Le Bayou Café ?

— Oui, c'est mon restaurant. Enfin, notre café, à Felix et à moi.

— Et tu veux que je sois serveuse ? Aurais-tu perdu la tête ?

— Pourquoi ? Ce n'est pas un travail suffisamment prestigieux pour une Lyon ?

— Ce n'est pas cela, mais… Je suis journaliste de formation, enfin !

— Journaliste de formation *au chômage*.

— Inutile de remuer le couteau dans la plaie. De toute

manière, je ne peux pas vivre avec le salaire minimum, même en ajoutant les pourboires.

— Tu peux habiter au-dessus du café, avec Felix et moi.

Elle resta bouche bée et lui adressa un regard incrédule.

— Et tu n'auras pas un sou à débourser pour la nourriture. Ma proposition inclut le gîte et le couvert, précisa-t-il.

— Tu te moques certainement de moi. Tu me fais cette proposition en or d'habiter avec toi et un de tes amis, et de travailler comme serveuse contre des pourboires et un salaire minimum… Il doit y avoir un piège…

— Pardon ?

Cette fois, c'était au tour de Dev de sembler surpris.

— Essaies-tu de me convaincre de me laisser prendre au piège par ma propre famille ? Je n'arrive pas à trouver une autre explication à la proposition généreuse que tu viens de me faire.

— Tu es blessante, dit-il avec un air agacé. J'ai fait ce que ta grand-mère m'avait demandé et tu as répondu non à plusieurs reprises. Je suis probablement responsable de la perte de ton emploi, du moins indirectement. Alors j'essaie seulement de te proposer une solution, quelque chose pour te dépanner le temps de repartir d'un bon pied.

— Je ne te remercie pas.

Avec une grimace, il répondit :

— Tu crois que la perspective de supporter ton sale caractère m'enchante ? Tu penses que j'ai envie de vivre avec toi ? Tu vois, je t'ai dit tout à l'heure que je regretterais probablement ma proposition demain matin, mais il a fallu moins de temps.

— Je préfère mourir de faim plutôt que vivre avec toi !

Plus elle s'énervait, plus il était calme.

— Sharlee, si tu n'as pas le cran de revenir à La Nouvelle-Orléans, dis-le.

— Je ne suis pas une poule mouillée, rétorqua-t-elle. Donne-moi une seule bonne raison pour que je…

Mais elle s'arrêta au milieu de sa phrase, alors qu'un souvenir lui revenait à la mémoire — oncle Charles en train de dire : « Il y a plus de secrets dans cette famille que de bougies sur ce gâteau. »

Et puis il y avait Dev.

La perspective de vivre avec elle le mettait mal à l'aise ? Cela lui donnait d'autant plus envie d'accepter. Une aussi belle occasion de prendre sa revanche sur lui ne se présenterait peut-être pas de sitôt. Et il ne l'aurait pas volé, compte tenu de ce qu'il lui avait fait autrefois et du sale tour qu'il venait de lui jouer en orchestrant son licenciement.

— Que se passe-t-il ? s'inquiéta Dev. Tu as l'air ailleurs…

— D'accord, déclara-t-elle en hochant la tête.

— Que veux-tu dire ?

— Tu as gagné. Je veux bien rentrer à La Nouvelle-Orléans avec toi. A une condition.

— J'ose à peine te demander laquelle…

Il paraissait vraiment regretter de lui avoir fait cette proposition, et Sharlee se sentit encore plus déterminée à accepter.

— Tu ne diras à personne de ma famille que je suis à La Nouvelle-Orléans. Et si jamais ils le découvrent, je t'interdis de leur révéler où je me cache.

— C'est ridicule. Tu crois que ta grand-mère ne verra pas que j'ai acheté deux billets d'avion avec sa carte de crédit ?

— Eh bien tu paies un billet avec sa carte, et le second avec la tienne. Tu as bien une carte de crédit ?

— Oui, mais je refuse de m'en servir pour toi. De toute manière, j'ai dépassé le plafond autorisé.

— Quel dommage… Dans ce cas, considère que je t'accorde un prêt, et tu te rembourseras sur mon maigre salaire, rétorqua-t-elle en jubilant intérieurement.

Dev laissa échapper un soupir.

— Soit.

— Je veux ta parole. Jure de garder le secret.

— Sharlee…

— Je suis sérieuse, Dev.

Il soupira encore, embarrassé.

— D'accord, ta famille ne saura rien. D'autres exigences ? Enfin, je veux dire, d'autres souhaits ?

— Pas pour l'instant, répondit-elle, encore surprise de l'engagement qu'elle venait de prendre. Quand… quand partons-nous ?

— Dès que j'aurai pu m'organiser, je te préviendrai.

Une fois Dev parti, elle resta debout au milieu de son salon, au comble de l'émotion. Elle avait tellement à faire avant de partir : se débarrasser de sa voiture — probablement à la casse ; vendre ou donner ses rares meubles ; faire ses cartons. Faire ses cartons lui demanderait certainement le moins de temps et d'effort, car outre ses vêtements et quelques objets personnels, et son ordinateur portable, elle ne souhaitait pas garder grand-chose.

— Serveuse…, répéta-t-elle à voix haute.

Malgré ce que Dev croyait, elle n'était pas snob. Inutile de réfléchir longtemps pour deviner que le travail de serveuse ne serait pas facile, mais elle avait aussi le sentiment que les serveuses efficaces pouvaient gagner décemment leur vie. Est-ce qu'elle-même ne donnait pas toujours de bons pourboires, si la qualité du service le justifiait ?

Elle sentit son enthousiasme se réveiller. C'était décidé : elle serait la meilleure serveuse que La Nouvelle-Orléans ait connue.

Et elle finirait même par racheter le Bayou Café à Dev

Oliver. Qui sait, peut-être réussirait-elle même à le posséder, lui aussi…

Dev repartit à son hôtel au volant de sa voiture de location, encore complètement abasourdi. Il n'arrivait pas à croire ce qu'il venait de se passer : proposer d'accueillir cette femme sous son toit et dans son restaurant constituait certainement la chose la plus stupide qu'il ait faite de toute sa vie — à part peut-être tomber amoureux d'elle.

Mais qui aurait pensé qu'elle aurait accepté une proposition uniquement inspirée par un sentiment de culpabilité ?

Une fois dans sa chambre d'hôtel, il appela Lyoncrest et attendit que Margaret décroche — ce qui ne tarda pas.

— Devin, mon cher petit, j'attendais ton appel. Alors, quelles sont les nouvelles ?

— Quelque chose me dit que vous êtes déjà au courant, Margaret.

Pas de « tante Margaret », cette fois : il lui en voulait trop pour lui témoigner son affection.

— Ah, dit-elle dans une sorte de soupir. Certes, ma petite-fille rencontre certaines difficultés en ce moment, mais c'est pour la bonne cause. Une fois qu'elle aura compris combien je suis déterminée…

— Je pense qu'elle le sait déjà.

Après un long silence, elle dit doucement :

— Aurais-tu la gentillesse de m'expliquer ?

— Elle sait qui a suggéré son licenciement, et elle est furieuse.

— Elle a peut-être des soupçons, mais elle ne peut pas avoir de preuve formelle, à moins que cet homme — comment s'appelle-t-il ? Bruce quelque chose ? Je suis sûre qu'il ne lui dira rien.

— Elle n'est pas stupide, Margaret. Mais ce n'est pas tout ce qui lui est arrivé aujourd'hui. Sa voiture est bonne pour la casse. Ça signifie qu'elle n'a plus les moyens de chercher un autre travail.

— Je suis navrée qu'elle doive traverser toutes ces épreuves, répondit Margaret avec un nouveau soupir. Je n'ai pas un cœur de pierre, seulement il ne me reste pas beaucoup de temps. Tout ce que j'ai fait, je l'ai fait par amour — pour elle et pour mon mari. La famille est mon bien le plus précieux.

— Margaret, vous aimez tout contrôler.

Le petit cri qu'elle poussa indiqua sa surprise, puis elle éclata de rire.

— Nul n'est parfait. Maintenant, je voudrais que tu m'appelles de nouveau « tante Margaret ».

— Tante Margaret, dit-il avec affection, vous êtes unique.

La vieille dame rit doucement.

— Merci. Alors, dis-moi, de combien de temps penses-tu encore avoir besoin pour la convaincre ?

— C'est terminé.

— Ne me dis pas que tu abandonnes !

— Non. Nous avons conclu un marché : elle revient avec moi dès que j'aurai pu acheter les billets d'avion, mais elle ne viendra pas habiter à Lyoncrest. Elle habitera au-dessus du Bayou Café avec Felix et moi, et…

Il hésitait à avouer la suite à sa tante.

— Elle travaillera au restaurant comme serveuse.

— Oh, mais c'est merveilleux ! s'exclama Margaret, qui partit d'un rire joyeux.

— Vraiment ?

— Bien sûr. Cela nous laissera le temps de trouver comment sortir de cette impasse, et Sharlee sera à proximité au cas où… au cas où l'on aurait besoin d'elle rapidement.

— Si vous le dites. Je suis content qu'il y ait au moins une personne que cette affaire réjouisse. Parce que moi, je me sens… un vrai traître doublé d'un parfait imbécile !

— Je suis désolée que tu vives cela si mal. Tu te consoleras en constatant que tout le monde sera heureux de revoir Charlotte…

— N'y pensez même pas.

— A quoi ?

— A annoncer la nouvelle à la famille. Elle m'a fait promettre de garder le secret sur son retour. Même à vous, je ne devais pas en parler. Surtout à vous, je pense. Elle ne veut même pas de votre argent pour payer son billet.

— Achète-le, je te rembourserai immédiatement. Mais quant à garder le silence…

— Tante Margaret, vous saurez où elle est. Peut-être qu'une fois à La Nouvelle-Orléans, elle se décidera à prendre contact avec vous.

Du moins, c'est ce qu'il espérait.

— Je souhaite qu'elle le fasse… Devin, tu as réussi là où tout le monde aurait échoué. Je ne sais pas comment te remercier.

Dev soupira.

— Sharlee n'est pas encore prête à renouer avec sa famille. Laissez-la tranquille si vous ne voulez pas qu'elle reparte — définitivement, cette fois.

— Je ferai en sorte que tout se passe bien.

— J'espère que vous saurez éviter une crise. Sinon, je me sentirai responsable.

Un sentiment dont il n'avait pas besoin de s'encombrer.

— Une dernière chose.

— Oui ?

— Je n'interviendrai plus, Margaret. J'ai fait ce que vous m'avez demandé, on s'arrête là.

— Je te comprends tout à fait. A l'avenir, c'est moi qui t'appellerai. Dépêche-toi de rentrer, en ramenant Charlotte avec toi.

— Tante Margaret, attendez ! Vous semblez ne pas…

Mais elle avait raccroché, et il termina sa phrase dans le vide :

— … comprendre.

Sharlee et Dev convinrent de se retrouver deux jours plus tard à l'aéroport international de Denver. Bien entendu, il avait proposé de passer la chercher, mais elle avait refusé, préférant se faire accompagner par Brawny Bill.

Quoi que le futur lui réserve, elle n'abandonnerait pas si facilement son indépendance. Elle n'avait pas besoin de Dev Oliver ; et elle ne *voulait pas* avoir besoin de lui.

Elle voulait le posséder.

L'idée de se venger lui semblait douce.

Brawny Bill lui sourit.

— Qu'y a-t-il de si drôle ?

— Rien d'important.

Elle contempla le toit de l'aéroport dont les toiles tendues lui rappelaient le dessin des tentes nomades. Partait-elle pour de bon, cette fois ? Elle frissonna.

Bill lui adressa un regard curieux. Il avait été un bon ami, avait racheté une partie de ses meubles, et il avait même déposé le reste dans un dépôt-vente. Il avait aussi toujours tendrement veillé sur elle, et son « partenaire », Mikey, n'avait pas semblé s'en inquiéter.

— Ce Devin me semble un type bien, dit Bill de manière inattendue. Il s'occupera de toi maintenant que je ne serai plus là.

Elle gloussa de nouveau, ce qui ne lui ressemblait pas, mais le sens de cette promesse la grisait.

— J'espère plutôt que je vais m'occuper de lui, corrigea-t-elle.

Bill hocha la tête en signe d'assentiment.

— Comme tu voudras. J'ai l'impression que vous vous connaissez depuis longtemps, tous les deux.

— Depuis toujours.

Toute une vie à se connaître sans vraiment se connaître.

— Le beau-père de Dev est le cousin de mon père, expliqua-t-elle.

— Vous devez appartenir à une grande famille. C'est bien.

C'est ce qu'elle croyait. Avant.

Il manœuvra à travers les différents virages et courbes à l'approche de l'aéroport, puis il se gara devant le terminal d'United Airlines. Dev l'attendait, sa valise posée sur le trottoir à côté de lui.

Sharlee sentit son cœur s'affoler en le voyant, et en se rendant compte qu'elle s'apprêtait à monter dans un avion pour partir avec lui. Mais il était trop tard pour y penser…

Bill se pencha pour ouvrir la portière, et déjà Dev lui tendait la main pour l'aider à sortir de voiture.

— Merci, Bill, dit-elle en lui envoyant un baiser. Je ne t'oublierai pas.

— Je te souhaite d'être heureuse dans la vie, Sharlee.

— Je vais essayer. Sois heureux, toi aussi.

Pourquoi avait-elle soudain envie de pleurer ? Elle aimait beaucoup ce grand gaillard, mais il n'y avait aucune raison de pleurer comme un bébé. En revanche, vivre jour et nuit avec Dev Oliver : voilà une raison valable pour pleurer…

5.

Le voyage se passa bien jusqu'à ce que le signal d'attacher les ceintures de sécurité ne s'allume pour la descente vers La Nouvelle-Orléans. C'est alors que Sharlee se crut sur le point de craquer.

Elle était en train de commettre une erreur ! Lançant un regard anxieux en direction de Dev, elle essaya de se calmer. Certes, la situation ne lui avait guère laissé le choix, mais elle aurait tout de même pu trouver une issue moins périlleuse à ses problèmes.

Alors elle fit ce qu'elle faisait toujours lorsqu'elle était intimidée, perdue ou effrayée : elle se mura dans le silence. Au moins jusqu'à ce qu'ils sortent du bâtiment climatisé pour pénétrer dans la moiteur de La Nouvelle-Orléans.

Elle chancela et pensa, l'espace d'un instant, qu'elle allait s'évanouir.

Dev lui prit le bras et lui adressa un regard inquiet.

— Que se passe-t-il, ma douce ? Tu es malade ?

— Quelle touffeur…

L'air était lourd et semblait peser sur les épaules. Sharlee se sentait déjà en sueur. Elle avait éprouvé la même chose lorsqu'elle était revenue le mois dernier, même si le choc avait été moins violent.

— Ça va ?

Elle déglutit difficilement et hocha la tête.

— Désolée. Je ne pensais pas réagir ainsi, répondit-elle en se passant une main dans les cheveux. L'air est tellement humide.

— Je te rappelle que nous sommes à La Nouvelle-Orléans. Viens, notre navette va partir.

— Une navette ? répéta-t-elle, surprise.

— Ta grand-mère nous aurait envoyé la limousine avec plaisir, répondit-il avec une pointe de moquerie, mais il aurait fallu la prévenir…

— La navette, c'est très bien.

Ignorant son appréhension, elle prit les deux valises les moins lourdes tandis que Dev s'occupait des autres bagages. Plus tôt elle échapperait à cette chaleur et cette humidité, et mieux ce serait.

La navette les laissa devant le Marché français, et ils parcoururent le reste du chemin en empruntant les étroites rues pavées qui faisaient la célébrité du Vieux Carré. Sharlee était entièrement concentrée sur ses angoisses.

— Nous sommes arrivés, annonça Dev en s'arrêtant. Bienvenue au Bayou Café, ton nouveau foyer. En dehors de Lyoncrest, bien sûr.

Sharlee cligna des yeux. Le nom figurait en lettres d'or sur la porte de verre. Dev l'ouvrit et lui fit signe d'entrer.

Elle entra avec beaucoup de précautions ; une impression de malaise montait en elle, tant elle se sentait étrangère à cet endroit et à la vie qu'elle allait y mener.

Néanmoins, le nouveau projet de Dev ne la laissait pas indifférente. Elle s'arrêta, posa ses valises. Lentement, elle regarda tout autour d'elle et découvrit le décor du restaurant.

A gauche de la porte d'entrée se trouvaient un comptoir

et six tabourets hauts ; devant et à droite, des tables et des chaises. Derrière le comptoir, on apercevait la cuisine. Et c'était tout. Le sol était recouvert d'un carrelage si vieux qu'il devenait difficile d'en déterminer la couleur avec certitude. Un ventilateur tournait paresseusement au plafond, et assurait à lui seul la climatisation.

L'ensemble était à la fois hétéroclite et inventif. Elle sourit. Cet endroit respirait la gaieté et donnait envie de s'attarder.

— Tu souris, remarqua Dev. Dois-je comprendre que tu aimes cet endroit ?

— Disons que je ne le déteste pas, corrigea-t-elle. Comment est la nourriture ?

A ce moment, un Noir immense sortit de la cuisine.

— La nourriture est excellente, répondit-il avec un large sourire. Et je suis bien placé pour le savoir : c'est moi le cuisinier.

— Felix, commença Dev, je te présente…

— Je sais déjà qui est cette demoiselle, répondit Felix, qui s'avança et la souleva dans une grande embrassade. Bienvenue au Bayou Café, Charlotte.

— Sharlee.

Felix la reposa à terre.

— Nous allons monter tes affaires à l'étage, Sharlee. Tu auras sans doute envie de te changer avant de te mettre au travail.

Surprise, elle s'exclama :

— Hé, du calme ! Je viens juste d'arriver.

— Peut-être, mais si nous voulons ouvrir dans dix jours…

— Dix jours ! répéta Dev, surpris.

— Il s'est passé des choses pendant ton absence, répondit Felix en prenant les valises de Sharlee. Je t'expliquerai tout dès que cette jeune dame sera installée dans ses quartiers.

Sharlee n'eut pas d'autre choix que suivre les deux hommes vers l'escalier caché au bout d'un couloir, à l'arrière du café. A chaque marche, elle avait l'impression de s'éloigner un peu plus de la vie qu'elle avait connue jusqu'à présent et d'avancer vers l'inconnu.

L'appartement du premier étage se composait de trois chambres minuscules, d'un salon, d'une cuisine et d'une seule salle de bains. Il allait vraiment falloir que chacun y mette du sien pour que la cohabitation se passe au mieux, pensa Sharlee.

Par ailleurs, l'appartement n'avait pas le charme du café. Des plafonds élevés et un vieux papier peint terni rendaient l'endroit presque inhospitalier. Toutefois, il y avait aussi quelques aspects positifs, comme le jardinet coincé entre les immeubles et visible depuis le salon et la cuisine.

— C'est votre jardin ? demanda-t-elle à Dev.

— Nous le partageons avec la charmante vieille dame qui habite l'appartement situé de l'autre côté, dit-il en montrant un balcon en fer forgé. Elle s'appelle Blanche Fortier, et elle s'occupe du jardinage en échange du droit de l'utiliser.

— Elle fait un excellent travail, remarqua Sharlee, impressionnée par la verdure luxuriante.

— Elle avait le même type d'accord avec le précédent propriétaire et elle a entretenu le jardin pendant les deux ans où cet endroit est resté inoccupé.

— J'ai déposé les bagages de Sharlee dans la chambre, annonça Felix. Rejoignez-moi une fois que vous aurez terminé.

— Pas de problème, répondit Dev.

Puis, avec un sourire, il dit à la jeune femme :

— Courage. Je vais te faire visiter ta nouvelle demeure.

— Tu as vu où je vivais dans le Colorado. Je ne suis pas si difficile.

— Ça tombe bien. Suis-moi.

Dans l'étroit couloir sombre, il lui montra la chambre de Felix, à gauche, puis la sienne. Ensuite, il lui indiqua la salle de bains, qui était la dernière porte à droite, et enfin la chambre qu'elle allait occuper. Il s'effaça pour la laisser passer et, après avoir pris une profonde inspiration, elle entra.

On se serait cru dans un film des années cinquante. Tout ce que contenait la petite pièce — c'est-à-dire pas grand-chose — était couvert de poussière et mal entretenu. La peinture du lit de fer forgé s'écaillait. Et on devinait que le matelas devait être drôlement inconfortable...

Une table de nuit accompagnait le lit et, de l'autre côté de la pièce, contre le mur, une commode complétait le mobilier. Une corde tendue d'un côté à l'autre de la pièce faisait office de penderie.

Le papier peint fané — des roses jaunes sur un fond vert pâle — apportait la touche finale.

La chambre donnait sur la rue par une double porte-fenêtre, grande ouverte sur un balcon. D'en bas montaient les bruits des passants, des odeurs épicées et enivrantes. Qui avait vécu là, avant elle ? Jadis ? Déjà, son imagination s'envolait.

L'endroit, en effet, semblait empreint d'histoire, et elle *adorait* l'histoire.

Au plafond, un ventilateur tournait lentement en soulevant la poussière. Elle toussa.

— On dirait que vous vous êtes donné un mal fou pour préparer cette pièce pour moi, dit-elle en plaisantant.

— Felix a ouvert la porte-fenêtre et mis le ventilateur en marche. Que demander de plus ? Je te rappelle que tu n'es pas ici en tant que membre de la famille Lyon, mais en tant qu'employée.

— Je ne me plains pas. Cela vaut bien chaque cent de mon salaire.

— Et je ne doute pas que, toi aussi, tu vaudras bien chaque cent que nous te paierons.

Avec un regard amusé, il se dirigea vers la porte-fenêtre, sortit sur le balcon et dit :

— J'espère que le bruit ne t'empêchera pas de dormir.

— Quand je suis fatiguée, rien ne peut m'empêcher de sombrer.

Reportant à plus tard son installation, elle laissa ses valises et rejoignit Dev sur la balcon. Puis elle respira à fond.

— Pas si mal, n'est-ce pas ?

— De quoi parles-tu ? demanda-t-elle avec méfiance.

— D'être ici.

Elle fit mine de ne pas comprendre.

— Dans cet appartement ?

— Dans cette ville. C'est ta ville, Sharlee, celle où tu es née et où tu as grandi. Tout peut redevenir comme avant.

Elle frissonna. Non, elle ne se sentait vraiment pas chez elle, ici, et elle doutait de s'y sentir chez elle un jour.

— Comme avant ? C'est peut-être ce qui m'effraie, concéda-t-elle.

Elle refusait de replonger dans les querelles de famille. Et encore plus de redevenir sa prisonnière.

Il se tenait si près d'elle… Elle croyait sentir la tiédeur de son corps. Vêtu d'un pantalon de toile kaki et d'un polo bleu, il semblait décontracté et à l'aise. Se rendait-il compte de son magnétisme ? De l'attraction qu'il exerçait sur elle ?

— Hé, cousin !

Le cri venait du trottoir opposé, en bas. Un jeune homme brun à la peau hâlée faisait des signes en souriant.

— Beau ! J'arrive, répondit Dev en se redressant.

— Cousin ? répéta Sharlee.

— En tout cas, nous sommes aussi proches que si nous étions réellement cousins. Il s'agit de Beau Achord. Je me demande bien pourquoi il est venu de Bayou Sans Fin, aujourd'hui. Il a certainement une bonne raison. Descends quand tu auras terminé de t'installer. Et ne t'inquiète pas : nous ne t'obligerons pas à travailler trop dur pour ton premier jour.

— Peu importe, je ne suis pas en vacances.

Une fois Dev parti, elle regarda en bas. Depuis le trottoir, Beau l'observait avec un intérêt amical. Elle lui fit signe, et il répondit, puis il traversa la rue et entra dans le restaurant.

Autant défaire ses bagages et en finir, décida-t-elle. Mais d'abord, elle devait quitter son jean qui lui collait à la peau et enfiler une tenue plus légère.

Ensuite, elle réfléchirait à la manière de battre Devin Oliver sur son propre terrain.

Beau Achord indiqua l'escalier d'un signe de tête ; son regard sombre pétillait d'intérêt.

— Voilà ta copine, dit-il. Moi, je me sauve.

— Attends un peu pour lui dire bonjour, proposa Dev avant d'ajouter : Et ce n'est pas ma copine.

— Elle le deviendra, répondit Beau avec un clin d'œil. Très vite.

Puis il salua Dev et partit.

« Très vite » semblait bien optimiste, pour Dev, qui regarda Sharlee descendre. Elle avait changé de vêtements : un short révélait ses longues jambes fines, et un T-shirt faisait ressortir sa poitrine ronde.

Elle regarda tout autour d'elle et parut sincèrement déçue.

— Où est ton cousin ? J'avais envie de le rencontrer.

— Tu le rencontreras. Il est venu en ville faire des achats pour son affaire de bateaux, et il en a profité pour nous inviter à un *fais do do* au bayou, dimanche prochain.

— Un bal à Bayou Sans Fin ? demanda-t-elle avec un regard indéchiffrable. Je ne sais pas si…

— Tu as le temps d'y réfléchir. As-tu faim ?

— Je meurs de faim !

— Felix nous a préparé un grand plat de gombo — pour ne pas perdre la main, comme il dit. Il est sorti en apporter une assiette à Blanche, mais tu peux te servir.

— Et toi ? Tu ne manges pas ?

— J'ai quelques courses à faire. Je dois passer voir la personne qui se chargera de la climatisation et acheter de la peinture. Ma voiture est au garage, à quelques rues d'ici. Tu n'as pas idée de la difficulté qu'on a à se garer dans le quartier.

Avec un regard entendu, elle dit :

— Laisse-moi deviner. Tu as une Mercedes décapotable.

— Quelqu'un a vendu la mèche ? répondit-il. Allez, on se voit plus tard.

— D'accord.

Un moment plus tard, alors qu'il roulait au volant de sa voiture, Dev eut un souvenir fulgurant : la première fois qu'ils avaient fait l'amour, Sharlee et lui, c'était à Bayou Sans Fin, dans la maison de sa mère.

Bayou Sans Fin…

Felix trouva Sharlee était assise au comptoir, tenant sur ses genoux une grande assiette de gombo au poulet et à la saucisse, accompagné de riz. Elle mangeait avec enthousiasme, et agita sa cuiller en direction de Felix.

— C'est le meilleur gombo que j'aie jamais mangé.

— Vraiment ?

— Oui, vraiment, répondit-elle avant de lécher la cuiller.

— Merci. Où est Dev ?

— Il a dit qu'il avait des courses à faire.

Ce n'était pas très délicat de sa part de partir avant qu'elle ait terminé de s'installer.

— Tu lui en veux, n'est-ce pas ? demanda-t-il avec un sourire amusé.

— Bien sûr que non. Pourquoi le devrais-je ?

— Tu es une femme. Tu n'as pas besoin de raison.

La remarque de Felix fit sourire Sharlee malgré elle.

— Bien vu. Felix, sais-tu pourquoi Dev a démissionné de WDIX ?

Le sourire de Felix disparut.

— Vraiment ? Non. Toutefois, je crois qu'il y a un rapport avec le décès de sa mère. Il a beaucoup changé ensuite.

L'appétit de Sharlee disparut, et elle posa son assiette sur le comptoir.

— Je ne l'ai jamais rencontrée.

En fait, Yvette Lyon était devenue *persona non grata* dans la famille, à la suite de son divorce d'avec Alain. Personne n'avait jamais semblé comprendre comment il s'était retrouvé avec les trois enfants, dont un qui n'était pas de lui.

— Moi non plus, dit Felix. Elle a été longtemps malade. Après sa mort, on aurait dit que… elle avait emporté toutes les obligations de Dev avec elle. Pendant quelque temps, il a semblé complètement désorienté, et un beau jour, il a décidé de démissionner et il s'est associé avec moi.

« Obligations ». Ce mot la toucha. Si elle ne se sentait pas suffisamment d'obligations envers sa famille, Dev avait peut-être croulé sous les devoirs.

— Et toi ? demanda-t-elle à Felix. Tu es d'ici ? Où as-tu appris à cuisiner ainsi ?

Pendant l'heure qui suivit, elle apprit que Felix était bien de La Nouvelle-Orléans, qu'il avait appris à faire la cuisine avec sa tante pour ses sept frères et sœurs après la disparition de sa mère alors qu'il n'avait que onze ans, et qu'il s'était perfectionné à San Francisco.

Serrant nerveusement les poings, il dit avec une passion venue du plus profond de son âme :

— Il faut que ce café soit une réussite. C'est l'argent de Dev, mais c'est mon rêve. Je n'aurais probablement plus jamais la chance d'être mon propre patron. Le Bayou Café va faire un malheur, ou je ne m'appelle pas Felix Brown !

Elle acquiesça. L'échec n'était envisageable pour aucun d'eux.

Au retour de Dev, Sharlee était à quatre pattes, occupée à récurer les étagères derrière le comptoir. Il fut tellement surpris qu'il manqua en lâcher les pots de peinture qu'il portait.

Elle dégagea les cheveux qui collaient à son front et sourit. Son T-shirt, trempé de sueur, collait à ses seins et Dev s'efforça de cacher son trouble comme il put.

— Salut, dit-elle en trempant une éponge dans un seau d'eau savonneuse. Tu en as mis du temps.

— J'ai acheté de la peinture, expliqua-t-il stupidement, tout en se disant qu'elle n'avait jamais été aussi sexy, ainsi agenouillée et les joues rosies par l'effort.

— Sans blague ? répondit-elle avec ironie, en désignant du menton les pots de peinture.

Dev ne sut que dire. Il s'était douté que vivre avec elle n'irait pas de soi ; que chaque fois qu'il la regarderait il serait rattrapé par le passé. Mais la puissance de ses sentiments pour elle venait de le prendre complètement au dépourvu.

Il la désirait.

Il la désirait comme il ne l'avait jamais désirée avant — pas même au tout début de leur relation, alors qu'ils découvraient la passion qui les dévorait.

Mais il résisterait. Car il refusait de souffrir encore. Alors il quitta la pièce et rejoignit Felix dans la réserve.

Ils se séparèrent à 23 heures ce soir-là, mais pas avant le sermon de Felix.

— Demain, journée de peinture, alors soyez prêts. Ma sœur DeeDee va venir nous aider parce que je veux que le rez-de-chaussée soit terminé demain soir, quoi qu'il advienne.

Une fois Felix couché, Dev et Sharlee se regardèrent.

— Je crois bien qu'il pense ce qu'il a dit, fit remarquer Dev.

— Et moi aussi.

Après une légère hésitation, il proposa :

— Pourquoi ne vas-tu pas la première dans la salle de bains ?

— D'accord.

— Cela ira mieux quand nous nous serons habitués à vivre ensemble. Enfin, je veux dire, qui passe en premier, et…

Elle hocha la tête. Fatiguée par les efforts de la journée, elle paraissait beaucoup plus décontractée et à son aise qu'à son arrivée.

— J'essaierai de ne pas être trop longue et de ne pas abuser de ta gentillesse naturelle.

— Merci de me reconnaître quelque qualité.

— Ai-je le choix ? répondit-elle en plaisantant. Dans le cas contraire, tu aurais couru voir ma grand-mère pour tout lui raconter. Le fait qu'elle n'ait pas été à l'aéroport pour nous accueillir montre bien que, finalement, tu dois avoir un bon côté.

Sur ce, elle s'éclipsa.

Pas de doute, songea Dev, si Sharlee découvrait qu'il

l'avait trahie, elle le haïrait. Même si, pour lui, il ne s'agissait pas d'une trahison mais d'une tentative pour les rapprocher, elle et sa grand-mère...

Il ne pouvait pas supporter l'idée que Margaret se fasse du souci et se mette dans tous ses états à cause de l'entêtement de sa petite-fille. Un entêtement mal justifié.

Il laissa passer un bon quart d'heure, s'imaginant que Sharlee avait eu amplement le temps nécessaire. Pieds nus, vêtu simplement d'un pantalon par considération pour son invitée — il se promenait nu, habituellement, dans l'appartement —, il jeta une serviette sur son épaule et se dirigea vers la salle de bains. Comme il approchait la main de la poignée, la porte s'ouvrit en grand et il se trouva nez à nez avec Sharlee.

Au naturel, étonnée, elle était jolie à croquer. Elle portait un peignoir de satin turquoise, fermé par une ceinture, et qui faisait joliment ressortir sa poitrine.

— Je te demande pardon. Je..., dit-elle.

En passant la porte, elle frôla Dev. Celui-ci essaya à son tour de s'effacer, avec la sensation d'avoir reçu une décharge électrique. Pour la première fois, ils furent incapables de se cacher leur trouble l'un à l'autre.

— Bonne nuit, murmura-t-elle.

Puis elle fila vers sa chambre... dont la porte se ferma puis se rouvrit presque immédiatement.

— J'ai oublié de te remercier pour la radio, dit Sharlee d'une voix mal assurée.

— De rien. J'ai pensé que tu aurais besoin de quelque chose pour te distraire.

Bon sang, il se serait bien dévoué pour la distraire et, à cet instant précis, il ne pensait qu'à la débarrasser de ce peignoir, et...

— Merci, c'est très gentil de ta part.

La porte se ferma. Dev resta quelques minutes cloué sur place, à essayer de recouvrer son souffle, de ne plus penser au corps de Sharlee.

Enfin, il entra dans la salle de bains et prit une longue douche.

Une longue douche *froide*.

Rapidement, Sharlee comprit que vivre avec Dev ne serait pas simple.

Heureusement, il fallait aussi compter avec Felix, qui allait et venait sans prévenir. On pouvait généralement compter sur lui pour venir désamorcer toute situation potentiellement explosive, comme lors du premier matin de Sharlee.

A moitié réveillée, elle était entrée dans la cuisine, guidée par la délicieuse odeur de café, et elle était tombée directement dans les bras de Dev alors que celui-ci se retournait pour attraper des tasses. Collée contre lui, elle s'était immobilisée et lui avait adressé un regard surpris.

Elle avait à peine réalisé de qui il s'agissait jusqu'à ce qu'ils se touchent. N'étant pas une personne du matin, il lui fallait au moins deux tasses de café avant de prendre réellement conscience du monde autour d'elle. Mais là, contre lui, elle se rendit compte trop tard qu'il était torse nu, ce qui fut suivi rapidement par une question qui lui brûlait les lèvres :

— Que portes-tu pour dormir ?

Les yeux de Dev s'écarquillèrent :

— Ce que je porte pour…

— Salut, les enfants, lança alors Felix, depuis l'entrée de la cuisine. Désolé d'interrompre ce charmant tête-à-tête, mais il faut que j'atteigne cette cafetière.

Sharlee et Dev s'écartèrent avec un air coupable, et c'est alors que la jeune femme remarqua que Dev portait un pantalon de pyjama impeccablement repassé — ce qui semblait indiquer qu'il n'avait pas dormi dedans.

Tendant le bras pour attraper une tasse dans le placard, Felix dit :

— Allez, nous n'avons pas de temps à perdre. Nous avons de la peinture à faire, aujourd'hui.

— Comme si nous pouvions l'oublier, grogna Sharlee.

— Qui sait, répondit Felix, en souriant par-dessus sa tasse. J'avais pourtant bien l'impression que vous deux étiez sur le point de tout oublier.

Avec un gentil sourire, elle répondit :

— Avec toi dans les parages pour nous rappeler à l'ordre, aucun danger. Une tasse de café, et je suis toute à toi.

Elle ne manqua pas la petite lueur dans le regard de Dev quand elle prononça ces paroles. Cela allait peut-être marcher, pensa-t-elle, tout en repartant vers sa chambre pour s'habiller en emportant sa tasse de café. Il semblait autant attiré par elle qu'elle l'était par lui. De plus en plus, il s'agissait de savoir *qui* des deux allait perdre le contrôle le premier.

Non, ce ne serait pas elle ! Et si *lui* perdait le contrôle et passait sa vie à le regretter… eh bien, la vengeance serait vraiment douce.

Fouillant dans ses affaires, elle en sortit un short en jean et une chemise de coton qu'elle pouvait nouer à la taille. Tout en s'habillant, elle pensa à Dev et à la manière dont il l'avait balayée de sa vie. Elle tenait peut-être l'occasion de faire la même chose avec lui. Mais avant de passer à l'acte, elle devrait acquérir l'absolue certitude que, cette fois, elle n'en sortirait pas détruite.

*
* *

A la fin de la journée de peinture, Dev avait l'impression de ne plus sentir son bras.

Sharlee et DeeDee, quant à elles, semblaient dans une forme nettement meilleure, même si elles accusaient certaines marques de fatigue.

Il se serait sans doute senti mieux si Sharlee n'avait pas porté ce short moulant et cette chemise nouée à la taille qui révélait autant qu'elle cachait. Les longues jambes hâlées de la jeune femme danseraient probablement dans ses rêves, cette nuit ; tout comme ses jolis seins l'avaient hanté la nuit précédente…

Il poussa un soupir de frustration.

Sharlee, qui retirait le ruban de masquage du mur, le regarda en souriant.

— Pauvre Dev. Tu es fatigué ?

Felix posa alors son pinceau dans une assiette en carton.

— En tout cas, le pauvre Felix l'est. Et toi, DeeDee ?

— Je tiens le coup ! répondit joyeusement la jeune fille. Mais je dois bientôt partir. J'ai cours à 18 heures. Et toi ? Tante Delia a dit que tu venais ce soir afin de préparer un jambalaya pour tout le monde. Si tu es trop fatigué…

— Mince, j'avais complètement oublié…

Se tournant vers Sharlee et Dev, il ajouta :

— Désolé, les enfants, vous serez tout seuls, ce soir.

Sharlee éprouva un pincement au cœur. Certes, elle envisageait de plus en plus sérieusement de séduire Dev, de coucher avec lui pour se venger. Seulement, elle n'avait pas encore pris de décision.

Avant de passer à l'acte, elle devait être absolument sûre d'elle, de sa force de caractère, de son immunisation contre les charmes de Dev pour être capable de le quitter après l'avoir conquis et mis à genoux.

Parce que, si c'était lui qui la quittait cette fois encore, elle ne s'en remettrait pas.

En attendant, elle pouvait toujours s'amuser un peu. Alors elle sourit gentiment à Dev et dit doucement :

— Juste toi et moi…

6.

Essayait-elle délibérément de le provoquer ?

Dev n'en était pas certain. En fait, dès qu'il s'agissait de Sharlee, il n'était sûr que d'une chose : elle ne le laissait vraiment pas indifférent.

Elle l'avait par exemple étonné par la manière dont elle avait travaillé, aujourd'hui : toujours la première à commencer et la dernière à arrêter. Malgré lui, il devait avouer qu'il était impressionné. Il avait vu qu'elle vivait modestement dans le Colorado, mais il avait toujours du mal à croire que l'héritière d'une part confortable de la fortune des Lyon puisse accepter de récurer, peindre, plonger les bras jusqu'aux coudes dans l'eau savonneuse pour nettoyer les pinceaux, et le tout sans se départir de son sourire ni de sa bonne humeur.

Elle ressemblait à peine à la jeune fille dont il était tombé amoureux quelques années plus tôt. Cette jeune fille était une princesse gâtée, alors que la jeune femme d'aujourd'hui était plus mûre, plus calme et certainement plus avisée. Néanmoins, elle lui paraissait pétrie de contradictions et il avait du mal à la cerner. Avec elle, il lui semblait avancer sur des sables mouvants.

Après le départ de Felix et DeeDee, Sharlee et lui s'étaient regardés et, soudain, quelque chose de très semblable à du désir avait circulé entre eux — du moins, c'est le sentiment qu'il avait eu.

Et elle, qu'avait-elle éprouvé ? Impassible, elle lui avait délibérément tourné le dos, comme si rien ne s'était produit.

Ensuite, plus tard ce soir-là, alors qu'ils se trouvaient seuls, elle avait affiché une telle expression de vulnérabilité qu'il avait bien failli se lever du canapé pour s'approcher et la consoler. Puis, comme prenant conscience de l'invitation qu'elle semblait lancer, c'est elle qui s'était levée. Elle avait filé. Pour trouver refuge dans sa chambre, comme si elle cherchait un refuge contre ses sentiments.

Dev était sorti sur le balcon, cherchant le calme de la nuit. Sharlee avait changé, certes. Elle était plus mûre. Mais elle paraissait souvent un peu perdue, un peu seule…

Et elle était toujours aussi attirante.

Pendant deux jours, ils travaillèrent sans relâche côte à côte, nettoyant, peignant et aménageant. Sharlee ne se plaignait ni ne se dérobait jamais. Elle s'entendait bien avec Felix et DeeDee, et se montrait aimable avec quiconque entrait pour voir l'état d'avancement des travaux.

Même Blanche Fortier, leur sympathique voisine jardinière, leur rendit une visite le deuxième jour pour rencontrer « la petite nouvelle ».

— Je vous ai aperçue depuis chez moi, indiqua la vieille dame aux cheveux gris en serrant la main de Sharlee. Mais je ne vous ai toujours pas vue profiter de notre joli jardin.

— J'aimerais bien, mais le contremaître ne me laisse pas le temps de souffler, répondit-elle, en adressant un regard malicieux à Dev.

— Je plaide coupable, reconnut celui-ci.

Il cherchait un moyen de lui donner un peu de temps de

repos sans donner l'impression de la favoriser, et il saisit l'occasion qui se présentait.

— Le plus dur est fait, reprit-il. Felix trouve que nous te faisons travailler trop dur et que nous devrions t'accorder l'après-midi de libre pour que tu puisses te familiariser de nouveau avec ta ville natale.

— Vous êtes donc de La Nouvelle-Orléans ? s'enquit Blanche, surprise. Je ne l'aurais jamais cru.

Cette remarque sembla faire plaisir à Sharlee.

— Cela fait longtemps que j'en suis partie, expliqua la jeune femme. En fait, je suis seulement de passage, avant de repartir pour une autre destination.

— Moi, je suis originaire de Memphis, confia Blanche, mais je me sens désormais chez moi, ici.

Ensuite, tendant le journal qu'elle tenait sous le bras à Dev, elle dit :

— Je suppose que vous n'avez pas vu le journal de ce matin ?

— Pourquoi ?

— Regardez dans le deuxième cahier. Il y a un article sur Paul Lyon. Je sais que vous avez travaillé pour lui, alors j'ai pensé que vous seriez content de lire l'article. Maintenant, je dois vous laisser. J'entends mes roses qui m'appellent.

— Au revoir, Blanche, répondit Dev, qui feuilleta le journal jusqu'à trouver l'article en question.

Il portait sur le succès remporté par la campagne contre l'illettrisme lancée par WDIX à l'occasion de son cinquantenaire, le mois précédent.

La photo illustrant l'article montrait un octogénaire séduisant et distingué. Dev leva les yeux et vit que Sharlee l'observait prudemment.

— Tu veux le journal ?

Elle fit non de la tête.

— Comme tu voudras, répondit Dev en jetant le journal dans la poubelle la plus proche. Dans ce cas, pourquoi ne pars-tu pas te promener ? Nous pouvons nous débrouiller sans toi, aujourd'hui.

— Impossible. Il va pleuvoir.

— Il pleut presque tous les après-midi en août. Tu ne vas pas fondre.

— Comment le sais-tu ? Papa disait toujours que j'étais faite en sucre, répliqua-t-elle avec un petit sourire.

Elle avait l'air délicieuse, vêtue d'un short et d'un T-shirt, son visage ne portant aucune trace de maquillage et ses cheveux retenus en arrière par un élastique.

— Et puis tu as grandi.

— Chut, dit-elle en posant un doigt sur les lèvres. Quasiment personne ne semble s'en être rendu compte.

Finalement, elle ne sortit pas cet après-midi-là, préférant rester travailler avec les deux hommes. Un peu plus tard, Dev s'aperçut que le journal avait disparu de la poubelle...

Aux alentours de minuit, il se rendit discrètement dans la cuisine pour se servir un verre de lait. Quand il passa devant le salon, il aperçut une lumière, et il supposa que Felix devait avoir une insomnie.

Seulement, il ne s'agissait pas de Felix, mais de Sharlee. Blottie dans le fauteuil, elle regardait avec une grande attention quelque chose de posé sur ses genoux. Dans le clair-obscur ambiant, ses lignes semblaient plus douces, ses cheveux plus vaporeux. A côté d'elle, il y avait un verre de lait et un cookie.

Admirant la jolie vision qui s'offrait à lui, Dev ne se rendit pas tout de suite compte qu'elle contemplait la photographie de son grand-père, découpée dans le journal de Blanche.

Soudain, elle prit conscience qu'elle n'était plus seule. Elle froissa la photo. Elle avait l'air d'une enfant prise en faute.

— Tu m'as fait peur ! s'exclama-t-elle, comme s'il avait agi délibérément.

— Pardon. J'allais à la cuisine pour boire quand je t'ai vue. Quelque chose ne va pas ?

— Non, bien sûr que non. J'avais faim, c'est tout, répondit-elle en se levant. Je pensais que vous dormiez, tous les deux, sinon je n'aurais pas..., dit-elle en montrant sa tenue.

— Pas de problème.

Dev se félicita de paraître aussi décontracté malgré la tension qui l'avait envahi. Sharlee lui faisait un effet terrible. Et il songeait déjà que, s'il la voyait nue, ... il se consumerait et terminerait certainement en cendres.

— Je ne suis pas vraiment habillé pour aller au bal non plus, répondit-il.

En fait, il avait enfilé le seul pantalon de pyjama qu'il possédait. Et encore, uniquement parce qu'elle était présente dans la maison.

— Nous ne sommes pas très à cheval sur les principes, reprit-il.

— J'ai remarqué, dit-elle en prenant le verre et le cookie. Je dépose ça dans la cuisine, et je retourne me coucher.

— Je ne voulais pas te chasser.

— Mais tu ne me chasses pas.

— Dans ce cas, je déposerai cela pour toi en retournant me coucher.

Il tendit la main, elle tendit la sienne. Leurs doigts se frôlèrent et il l'entendit soupirer.

— Merci.

— De rien.

Il la regarda sortir rapidement de la pièce, serrant toujours dans la main la coupure de journal. Il aimait le nouveau côté tendre de sa personnalité. « Elle a plus de sentiments pour sa famille qu'elle ne veut le reconnaître, pensa-t-il. Elle a souffert et elle essaie de se protéger, mais elle s'intéresse toujours à sa famille. »

Il vida le verre de lait laissé par Sharlee et grignota le reste de son cookie. Il se sentait tendu comme une corde de violon. Le désir lui tenaillait les entrailles.

Malheureusement, il n'y avait pas de remède…

Il n'y avait plus aucune raison de traîner encore, et Sharlee accepta l'offre de Dev et Felix de profiter de la matinée suivante pour sortir. Pour une raison quelconque, elle s'était sentie obligée de se consacrer complètement au Bayou Café pour éviter de s'aventurer dans le Vieux Carré.

Tout comme elle se sentait obligée d'éviter tout sujet personnel de conversation avec Dev, même si elle mourait d'envie de lui poser les questions qui la tourmentaient depuis tellement longtemps.

Elle refusait de repenser à ces moments. Elle refusait de regarder en arrière, et même sa situation actuelle était temporaire. Dès que le café serait ouvert, elle commencerait à chercher du travail dans un journal pour repartir vers l'ouest, la direction qu'elle avait toujours eu envie de suivre.

Après un signe de la main et un « A tout à l'heure ! », elle emprunta les rues étroites en direction du Café du monde, pour y déguster une tasse de café noir à la chicorée accompagnée d'un beignet. Autour d'elle, le Vieux Carré se réveillait. Les commerçants qui nettoyaient les trottoirs lui souriaient comme elle passait devant les boutiques d'antiquités, les restaurants, les bars et les résidences…

Elle délaissa le chemin le plus direct pour traverser Jackson Square, le parc de la vieille ville situé face au Mississipi et dominé par une statue équestre du général sudiste du même nom — un perchoir idéal pour les pigeons. Dans le fond, les flèches de la cathédrale St Louis s'élevaient comme des sentinelles sur le ciel bleu dépourvu de nuages.

Elle se sentait comme une touriste.

Elle ne s'était pas attendue à cela. Elle avait beau soutenir à qui voulait l'entendre que La Nouvelle-Orléans n'était plus sa ville, elle n'y avait jamais cru elle-même. Jusqu'à aujourd'hui. Aujourd'hui, même les parfums typiques ne lui donnaient pas l'impression d'être de retour chez elle. Elle passa devant des petits restaurants, respira les odeurs de café torréfié, de pain juste cuit, de poissons et d'écrevisses. Mais non, rien ne lui rappelait rien.

A croire qu'elle n'était jamais venue ici.

Le Café du monde se trouvait devant elle, avec ses stores aux rayures vertes. Elle traversa Decatur Street et pénétra à l'intérieur. Même à cette heure matinale, le café était plein. Elle trouva tout de même une table dans un coin et s'assit.

Un serveur vint prendre sa commande, puis s'éloigna. Pendant qu'elle attendait, Sharlee observa les autres clients. Il s'agissait pour la plupart de touristes. Des étrangers. Comme elle, au fond. D'ailleurs, y avait-il un endroit, dans cette ville, où elle ne se sentirait pas exlue ?

La réponse la surprit et la consterna : au Bayou Café.

Son travail lui plaisait : il fallait tenir le coup physiquement, pas « réfléchir », et c'était très bien ainsi. Elle était lasse de réfléchir, lasse de tout porter sur les épaules, aussi. Combien de temps cette lassitude durerait-elle ? Voilà ce qu'elle ne pouvait mesurer. Elle pouvait juste espérer s'en guérir rapidement. Parce qu'elle avait de nombreuses décisions à prendre. Toutefois, pour l'instant, sa situation lui convenait plutôt.

Si elle ne comptait pas Dev.

Elle se cognait à lui — ou il se cognait à elle — à n'importe quelle heure du jour ou de la nuit. Ainsi, la nuit dernière... Elle n'aurait pas dû se trouver là, en chemise de nuit, à regarder la photographie de son grand-père pour la centième fois. Elle aurait dû savoir…

En fait, elle savait peut-être que Dev viendrait, la verrait et la désirerait. Parce que même si elle n'avait pas encore fermement décidé de coucher avec lui, cela ne lui posait aucun problème de le provoquer un peu.

Et de lui mettre sous le nez tout ce à quoi il avait renoncé, autrefois, en la quittant.

Le serveur déposa le café et les beignets sur la table sans un mot, puis repartit. Sharlee regarda les trois pâtisseries et éprouva une sorte de nausée.

Dire qu'à une époque elle adorait ces beignets. Désappointé, elle en prit un, le tourna et le retourna. Décidément, non, ça ne lui disait rien.

Dev fut surpris quand Sharlee s'empressa de partir ce matin, mais pas aussi surpris que quand son jeune demi-frère, Alex, lui rendit visite.

Agé de vingt-deux ans et étudiant en communication peu enthousiaste à l'université de Loyola, Alex était aussi l'agitateur et l'hédoniste de la famille. En fait, maintenant que Dev y pensait, Alex ressemblait beaucoup à Sharlee.

— Comment ça va ? demanda Alex.

Mal rasé, les vêtements tout froissés, il semblait ne pas avoir dormi de la nuit.

— Tu n'aurais pas de quoi faire un *po'boy* pour un pauvre jeune homme qui meurt de faim ?

— Non, et Felix n'est pas là pour t'en préparer. Que dirais-tu d'une assiette d'étouffée à la place ?

— Non, j'ai envie d'un sandwich. J'irai en acheter un ailleurs. Quand penses-tu ouvrir cet endroit ?

— Le vingt-cinq août, mais tu n'es *pas* invité. Nous ne

pouvons pas nous permettre de nous trouver à cours de nourriture.

— Ah, très drôle.

Mais Alex changea soudain d'expression.

— En fait, je ne suis pas vraiment venu pour ça.

— Vraiment ? répondit Dev, sans cesser de polir les ornements de cuivre derrière le comptoir.

— S'il te plaît, Dev, reprit Alex sur un ton suppliant. Il faut que tu m'aides. J'ai de gros ennuis.

— Avec qui ? Alain, ou la police ?

— Avec papa, bien entendu. Et je préférerais que tu ne l'appelles pas Alain.

— C'est son prénom.

— Mais avant… Et puis mince !

Le jeune homme donna un coup de pied dans l'un des tabourets.

— Pourquoi as-tu fait ça, Dev ? Je ne comprends toujours pas pourquoi tu as quitté un boulot tranquille à WDIX pour *ça*.

Il prononça « ça » avec une mine de dégoût.

— Je ne compte pas que tu comprennes un jour.

En fait, Dev *espérait* qu'Alex ne saurait jamais le fin mot de l'affaire.

— Raconte-moi plutôt ce que tu as fait ces derniers temps.

— Rien. Absolument rien.

L'expression rebelle d'Alex suggérait le contraire.

— Je m'occupe, et… je ne suis pas rentré à la maison la nuit dernière, c'est tout. Rien de grave. Mais la dernière fois que c'est arrivé…

— Quand était-ce ?

— Mercredi. Pourquoi ?

Dev observa son frère, un jeune homme intelligent, séduisant, appartenant à une famille puissante mais n'ayant absolument aucune discipline.

— Tu as demandé mon aide, je te rappelle. Alors du calme.

— Oui, tu as raison..., reconnut Alex. Papa a dit que la prochaine fois que je découcherais, il me ficherait définitivement à la porte de la maison. Je ne pense qu'il était vraiment sérieux, mais tu pourrais peut-être juste... Enfin, tu sais, essayer de lui parler.

— Pour lui dire quoi ?

— Eh bien, que j'ai passé la soirée et la nuit ici, chez toi, et que j'ai essayé d'appeler, mais... que le téléphone ne fonctionnait pas.

Dev éclata de rire.

— Comme s'il allait avaler une histoire pareille.

— Dans ce cas, trouve autre chose de plus crédible, rétorqua Alex, parce que...

L'arrivée de Sharlee, plus sexy que jamais, l'interrompit au beau milieu de sa phrase. Elle rentrait de ses courses.

— Pardon, dit-elle, je vous dérange.

Puis, écarquillant les yeux, elle ajouta :

— Alex ? C'est bien toi ?

— Ça alors ! Charlotte !

Ils s'avancèrent et tombèrent dans les bras l'un de l'autre. Dev, qui observait la scène, n'aima pas la lueur lubrique qui pétilla dans le regard de son jeune frère, mais il se dit que Sharlee était capable de gérer la situation.

Ce qu'elle fit en se dégageant et en repoussant les mains d'Alex, qui s'attardaient sur sa taille.

Alex regarda tour à tour la jeune femme et son frère.

— J'ignorais que tu étais en ville, Charlotte. J'ai vu oncle André pas plus tard qu'hier, et il ne m'a rien dit.

Après avoir échangé un regard rapide avec Dev, elle répondit :

— Il ne le sait pas. Personne ne le sait à part Dev. Et toi, bien sûr.

— Pourquoi ? demanda Alex en fronçant les sourcils. Je ne comprends pas, à moins que vous deux…

— Non ! s'exclamèrent-ils à l'unisson.

— C'est une longue histoire, reprit Sharlee. Pour l'instant, disons seulement que je ferai connaître ma présence quand le moment sera venu — ce qui n'est pas le cas actuellement.

— Je vois, répondit Alex, qui de toute évidence ne voyait rien du tout.

— Sois gentil, et ne dis rien à personne. D'accord ?

— Bien sûr, répondit-il avec peut-être un peu trop d'empressement. Comme tu voudras.

Puis, se tournant vers son frère, il ajouta :

— Au sujet de ce dont nous parlions, Dev…

— Hors de question, répondit Dev, qui reprit son polissage.

— Mais…

— Cela ne te vaudrait rien de bon, Alex. Alain est toujours très en colère contre moi parce que j'ai quitté WDIX, alors penses-tu réellement qu'il m'écouterait ?

— Tu pourrais au moins essayer…

— Tu t'es mis tout seul dans le pétrin, et c'est à toi d'essayer d'en sortir.

— Dans ce cas, merci quand même.

Sharlee posa la main sur le bras du jeune homme.

— Y a-t-il quelque chose que je puisse faire ?

— Non, mais merci d'avoir demandé.

— Tu ne diras rien au sujet de ma présence, d'accord ?

— Compte sur moi.

Dev espéra que son jeune frère était sincère, mais l'expression d'Alex n'était pas franchement rassurante. Si jamais il parlait à Alain, tous se retrouveraient dans une situation inconfortable…

Alex acheta un sandwich au coin de la rue, puis il marcha jusqu'à Canal Street et monta dans le tramway vers Garden District. Là, il se rencogna dans la banquette en bois. Quelle gueule de bois…

Il avait réussi à se contrôler le temps de parler avec son frère, mais cela ne lui avait pas servi à grand-chose. Il s'était raccroché à un semblant d'espoir, et il le savait, mais il y avait toujours une chance que son père et Dev se soient réconciliés.

Alex s'en était toujours plus ou moins moqué, jusqu'à ce que ça le concerne directement, comme aujourd'hui. Il aimait bien Dev, qui était un bon frère et tout, mais celui-ci avait changé depuis le décès de leur mère. Alex, qui n'avait même pas fait le déplacement jusqu'au bayou pour assister aux obsèques, éprouva un sentiment de culpabilité — qu'il repoussa immédiatement.

En fait, il l'avait à peine connue. Seul Dev avait gardé des contacts avec elle après qu'elle les avait abandonnés.

Par ailleurs, Alex avait bien d'autres préoccupations. Regardant par la fenêtre les chênes qui ombrageaient St Charles Street, il réfléchit à sa situation. Soit il arriverait à inventer une histoire suffisamment crédible, soit son père le tuerait. Comme Dev refusait de l'aider, que pouvait-il faire, que savait-il, dont il pourrait se servir pour marchander ?

C'est alors qu'il eut un éclair de génie : Charlotte Lyon était de retour, et personne de son côté de la famille ne le savait. Voilà une information qui devait pouvoir se monnayer : la nouvelle du retour de Charlotte et du fait qu'elle vivait avec Dev servirait certainement à acheter sa tranquillité.

Evidemment, il avait promis de garder le silence, mais au fond quelle différence, s'il parlait ? Elle ne saurait jamais qui avait vendu la mèche. Alors pourquoi ne pas utiliser cette information et essayer de calmer son père, qui serait certainement vert de rage ?

— Désolé, Charlotte, dit-il à voix basse tout en se levant pour descendre du tramway. Mais je sais que tu comprendras. Tu ne voudrais tout de même pas que ton petit cousin préféré se retrouve à la rue, n'est-ce pas ?

— Tu veux une praline ?

Felix eut un mouvement de recul, puis se pencha pour lire le nom inscrit sur le pochon de papier.

— Je ne mange pas de ces cochonneries. Si tu veux des pralines, je t'en préparerai qui soient dignes de ce nom.

Sharlee éclata de rire. Dev était sorti, pour effectuer quelques démarches administratives. Elle venait de terminer de nettoyer les vitres, et elle était prête pour faire une pause.

— Tu n'as déjà pas assez de temps pour faire tout ce que tu dois faire, et tu veux en plus me préparer des pralines ? Je te remercie, Felix, mais ce n'est pas la peine.

— Tu as raison, répondit-il avec un sourire penaud. Mais si tu ne nous avais pas donné un coup de main, nous serions encore plus en retard.

— Merci, dit Sharlee, heureusement surprise par son compliment. Tu es sûr de ne pas vouloir une praline ?

— Bon, si tu insistes.

Il plongea sa main dans le pochon et en ressortit un disque brun recouvert de noix de pécan, dans lequel il mordit.

— C'est sucré, dit-il, avant de mettre le reste dans sa bouche. Tu t'es bien promenée, ce matin ?

— Oui.

En quelque sorte, pensa-t-elle en elle-même.

— J'ai tout fait pour éviter ma famille, mais Alex était là.

— Oh, oh ! dit Felix.

— Ce qui signifie ?

— Que ce gamin a le don de s'attirer plus d'ennuis que toute la famille réunie. Je parie qu'il avait besoin de quelque chose.

Elle fronça les sourcils. C'est en effet l'impression qu'elle avait eue, mais elle n'en était pas sûre et elle se contenta donc de hausser les épaules.

— Il a promis de ne dire à personne que je suis là.

— Et tu l'as cru ?

— Felix ! Qu'insinues-tu ?

— Juste que je ne ferais pas confiance à ce gamin. Dev a plus d'une fois essayé de le tirer d'affaire, et ça lui est à chaque fois retombé dessus. Alors, prête pour te remettre au travail ? Parce que…

— Désolée, mais j'ai déjà un travail à faire. Un travail important, répondit-elle en posant son pochon de pralines sur le comptoir. J'ai décidé de passer l'aspirateur et de dépoussiérer l'appartement du sol au plafond.

— Allons-nous avoir cette fameuse « touche féminine », que nous le voulions ou non ? Et ensuite, tu nous feras la cuisine ?

— Là, tu rêves ! répondit-elle en éclatant de rire. Je suis nulle en cuisine, mais je suis très douée pour le ménage, et quelqu'un doit bien s'en occuper. J'ai passé la moitié de la nuit à éternuer, et il faut vraiment que je fasse quelque chose.

— Dans ce cas, vas-y.

La première chose que Dev remarqua ne fut pas la propreté de l'appartement — pourtant impeccable. Non, il remarqua tout d'abord combien les mains de Sharlee étaient rouges et semblaient douloureuses, posées de cette manière sur ses hanches. Il avait envie de les prendre dans ses propres mains, de les embrasser, de les poser sur…

— Alors ? demanda la jeune femme. Il n'y a pas l'un de vous deux qui va se décider à parler ?

Felix, qui était monté à la suite de Dev, prit la parole :

— Je reste sans voix. Et toi, Dev ? Parce que moi, oui.

— Bien, je préfère ça, répondit Sharlee avec un grand sourire. La table est mise. J'espère bien que vous avez préparé à manger, parce que je meurs de faim.

— Ça tombe bien, répondit Felix, qui porta un grand plateau dans la cuisine.

Se tournant vers Dev, Sharlee demanda :

— Et toi ?

Il la regarda : elle était habillée d'une robe d'été à fleurs et coiffée d'une queue-de-cheval. Rayonnante. On aurait dit une de ces jeunes épouses d'autrefois, heureuse de retrouver son mari après une longue journée de séparation.

— Tu as fait du bon travail, reconnut-il, troublé. Dis à Felix que je viens de me rappeler que j'ai quelque chose à faire. Je dînerai dehors.

Sharlee parut soudain déçue.

— Mais…

— Désolé, je dois y aller.

Ensuite, il tourna les talons et sortit précipitamment de la pièce, descendant les marches deux à deux, comme s'il avait la mort aux trousses.

Sharlee le regarda qui partait en courant, et elle essaya de se persuader qu'elle s'en moquait. Oui, pourquoi devrait-elle se soucier de ce qu'il faisait, alors que lui ne se souciait pas suffisamment d'elle pour… ?

Mais elle préféra couper court à ses réflexions. Si elle n'y prenait pas garde, elle accorderait bientôt beaucoup trop d'importance aux allées et venues de Dev, ainsi qu'à ses opinions, ses réactions.

« Qu'il fasse ce qu'il veut », songea-t-elle. Après tout, ce n'était pas elle qui était partie…

Le lendemain matin, elle snoba Dev, et il ne put le lui reprocher. Il supporta cette froideur inhabituelle jusqu'au déjeuner ; puis, n'y tenant plus, il déclara :

— D'accord, Sharlee, j'avoue. J'aurais dû être plus attentif à tes sentiments, hier soir, et…

— Aha ! s'exclama-t-elle sur le ton de la revanche.

— … et je te demande pardon, mais j'avais l'esprit ailleurs.

— On peut savoir où ? demanda-t-elle, soudain intéressée.

— Cela ne te concerne pas.

— Soit. Si cela ne me concerne pas, pourquoi en parler ?

— Parce que je veux que tu saches que j'apprécie tes efforts, et que j'essaie de me racheter.

— Ça devient passionnant… D'accord, j'accepte tes excuses. Voyons maintenant comment tu comptes te racheter.

— Eh bien… Voilà, je suis à ton service, dit-il en ouvrant les bras. Nous avons plutôt bien avancé, ici, alors fais un vœu et je l'exauce ! Un tour de tramway ? Une visite à l'aquarium ? Une promenade en bateau à aubes sur le Mississippi ? A toi de choisir !

— Pourquoi ? Pour te débarrasser de moi ? dit-elle sur un ton de reproche. Merci, mais non. Si tu crois que je vais te laisser m'abandonner quelque part…

— Non, Sharlee. Je ne vais pas te déposer et repartir. Je t'accompagne. Alors, qu'est-ce qui te ferait plaisir ?

Les yeux noisette de Sharlee se mirent à pétiller.

— Dans ce cas, c'est différent. Je pense que j'aimerais… me promener le long du Mississippi, et ensuite faire un peu de shopping au centre commercial de Jax Brewery. Cela te convient ?

Le shopping n'était pas l'activité favorite de Dev, mais la promenade lui semblait une bonne idée.

— Allons-y, dit-il.

Et il croisa les doigts pour ne pas le regretter.

Même si elle appréciait le fait d'avoir de la compagnie, la présence de Dev donnait autant à Sharlee l'impression d'être une touriste que lors de sa promenade dans le Vieux Carré. Elle connaissait déjà tout ce qu'elle voyait, mais elle éprouva un certain détachement qui la mit mal à l'aise.

Elle avait toujours aimé se promener sur les quais du fleuve, et notamment la partie appelée Moon Walk, du nom d'un ancien maire de la ville, et qui offrait une promenade ombragée de presque un kilomètre entre le Mississippi et Washington Artillery Park. Un ensemble de bateaux, allant des porte-containers géants aux remorqueurs, était amarré le long des quais.

En amont, elle pouvait voir Crescent City Connection, le nom donné à deux ponts qui reliaient La Nouvelle-Orléans avec la rive ouest du fleuve. Immédiatement à leur droite se dressait Jackson Brewery, une ancienne brasserie reconvertie en centre commercial et que tous les habitants de la ville appelaient simplement Jax.

Elle inspira profondément, puis plissa son joli nez.

— Ça sent le poisson, dit-elle.

— Cette odeur ne te dérangeait pas, avant, répondit Dev sur un ton de reproche.

— Mais elle ne me dérange pas, protesta-t-elle. C'est seulement que je ne l'avais pas remarquée avant aujourd'hui.

— Je pensais que, maintenant, tu te sentirais un peu plus chez toi.

Elle réfléchit aux paroles de Dev.

— Par certains côtés, sans doute. Mais par d'autres…

Haussant les épaules, elle proposa :

— Parlons d'autre chose, d'accord ? Je t'ai déjà dit que je n'étais pas ici chez moi, et que je ne faisais que passer.

Prenant ensuite le bras de Dev, elle l'entraîna.

— Allons à Jax, et buvons quelque chose de frais, suggéra-t-elle avec une gaieté feinte. Je ne me plains de rien, je suis juste…

— *Sharlee* ? Mon Dieu, est-ce bien *toi* ?

Sharlee s'arrêta net. Elle se retourna lentement, mais elle savait déjà qui l'avait interpellée.

7.

Leslie se précipita vers sa sœur les bras grands ouverts et avec une expression de joie sincère. Elle serra fort Sharlee dans ses bras, se recula en la tenant à bout de bras, puis elle l'étreignit de nouveau.

— Que fais-tu ici ? demanda-t-elle. Quand es-tu arrivée ? Pourquoi est-ce que personne ne m'a rien dit ? Comment…

— Du calme !

Sharlee se dégagea de l'étreinte de sa sœur, et elle remarqua que celle-ci portait déjà des vêtements de grossesse, alors qu'elle n'était enceinte que de trois mois.

— Personne ne sait que je suis de retour, à part toi et Alex, qui a promis de garder le secret. Et Dev, bien sûr.

— Tu veux dire qu'aucun membre de la famille n'est au courant ?

— Exactement.

— Que se passe-t-il ? demanda Leslie, qui semblait ne pas comprendre. Pourquoi te caches-tu dans le Carré ?

— Avant que vous deux ne commenciez à parler de tout ça, je m'éclipse. J'ai un ami qui travaille là, expliqua Dev en montrant un bar, de l'autre côté de la rue. Je vais prendre une tasse de café, et vous laisser papoter entre filles.

— Merci, Dev, dit Leslie avec un grand sourire. Nous serons au premier étage de Jax.

Les deux jeunes femmes le regardèrent traverser Decatur Street et disparaître dans un petit restaurant. Ensuite, Leslie se tourna vers sa sœur :

— Bien. Maintenant, Charlotte Hollander Lyon, tu me dois des explications. Et n'oublie aucun détail !

Elles pénétrèrent dans le centre commercial et s'installèrent au dernier étage, qui était celui des restaurants. Pendant que Leslie attendait à leur table, Sharlee alla chercher des boissons : de la limonade pour sa sœur, et du thé glacé pour elle. Une fois assise, elle prit une profonde inspiration et se lança.

— Ce n'est pas ce que tu crois.

— De quoi ? Te trouver ici, avec Dev ?

Sharlee hocha la tête, se demandant si elle le croirait elle-même si elle n'était pas en train de le vivre.

— A ton avis, qu'est-ce que je crois ? demanda Leslie.

— Que… Que Dev et moi sommes de nouveau ensemble. Mais ce n'est pas le cas.

Leslie fit la moue et joua avec les glaçons dans son verre.

— Bien sûr que si. Je te trouve en train de te promener avec lui dans le Vieux Carré, alors que toute la famille ignore ton retour.

— Mais…

— Es-tu repartie au Colorado après le cinquantenaire de WDIX, ou bien te caches-tu chez lui depuis le 4 juillet ?

— Evidemment que je suis repartie au Colorado. C'est lui qui est venu m'y chercher. En fait, c'est grand-mère qui l'a envoyé.

— Donc elle sait que tu es de retour ?

— Non, enfin, je ne le crois pas. J'ai fait promettre à Dev de garder le silence, ou du moins je le crois. Je ne sais plus.

— Dans ce cas, je ne comprends pas. Grand-mère sait combien tu es… réservée envers la famille. Pourquoi ferait-elle une chose pareille ? Nous avons tous essayé de te faire entendre raison. Même moi, ajouta-t-elle avec un sourire.

— Je suis désolée, Les. Je ne voulais pas.

« Et je ne devais pas », pensa Sharlee.

— Je ne l'ai jamais pris personnellement, mais grand-mère... On dirait qu'elle est chaque jour un peu plus déterminée à nous rassembler autour d'elle. Tu n'es sans doute pas au courant, mais elle a réussi à nous convaincre, Michael et moi, de venir vivre à Lyoncrest juste après notre mariage. Et nous ne le regrettons pas.

— Tant mieux.

— Et toi... Elle souhaite que tu reviennes depuis que tu as terminé l'université, mais je ne comprends pas pourquoi elle a attendu aujourd'hui pour passer à l'offensive.

— Apparemment...

Sharlee ne termina pas sa phrase. Sa sœur était enceinte, et elle ne voulait pas l'inquiéter en évoquant la santé fragile de leur grand-père. Haussant les épaules, Sharlee reprit alors d'un air évasif :

— Tu sais bien qu'elle aime que les choses soient comme elle décide.

— Comme tout le monde, répondit Leslie en fronçant les sourcils. Mais dis-moi, Charlotte, où habites-tu ?

— Avec Dev et Felix Brown, son associé du Bayou Café. Il y a un appartement avec trois chambres à l'étage.

— Tu habites avec deux hommes ? Mais quelle idée ! s'exclama Leslie, qui semblait scandalisée.

— En tout bien tout honneur, crois-moi. Je les aide seulement à préparer leur restaurant pour l'ouverture, expliqua Sharlee, qui n'aimait pas paraître autant sur la défensive. Ensuite, je travaillerai comme serveuse pendant un moment — le temps de trouver un autre poste de journaliste.

— Toi, serveuse ? C'est ridicule.

— C'est un job.

— Je sais. Seulement, il y a quelques semaines encore, tu étais reporter dans le Colorado, et je te retrouve aujourd'hui serveuse dans le Vieux Carré.

Leslie regarda longuement Sharlee, puis dit :

— Du moment que tu es satisfaite…

— Je ne le suis pas, coupa Sharlee. C'est une situation temporaire. Je suis à la recherche d'un autre travail de journaliste et, dès que j'en décroche un, je pars.

— Sans même prévenir tes parents ni ta grand-mère que tu étais là ?

— Je les appellerai… peut-être.

— C'est vraiment terrible, dit Leslie. J'ignore la raison de cette petite guerre qui t'oppose à la famille, Charlotte, mais ce n'est pas normal.

— Ce n'est pas une petite guerre, répondit Sharlee, dont l'estomac s'était noué et les mains tremblaient.

Elle détestait, en effet, avoir à se justifier auprès de quiconque.

— De quoi s'agit-il, alors ? Quelle est la raison de ce froid entre toi et les personnes qui t'aiment ?

Sharlee hésita, se disant que si Leslie n'était toujours pas au courant du refus de leurs parents de lui donner son argent et de toutes les tentatives de manipulation, il valait mieux la laisser en dehors de l'histoire. Finalement, elle répondit :

— Nous ne nous entendons pas, c'est tout.

— Tu ne peux donc pas faire quelques efforts ?

— Non, Leslie, je ne peux pas, dit Sharlee d'une voix ferme. Je suis telle que je suis, et je veux pouvoir décider de ma vie. Est-ce trop demander ?

— Non, mais…

— Ils avaient déjà tracé toute ma vie pour moi. Après l'université, je devais emménager à Lyoncrest, et travailler à la rédaction de WDIX. Ensuite, je serais devenue la plus jeune présentatrice de la télé, et j'étais censée marcher sur les traces de grand-père. Que je le veuille ou non.

— Ce serait donc si terrible ?

— Aurais-tu aimé être à ma place ? Attends, ce n'est pas tout. J'aurais aussi tout appris de la gestion d'une chaîne, siégé au conseil d'administration, et emboîté le pas à notre cher papa.

— Tu exagères certainement, répondit Leslie. Tu *crois* qu'ils attendaient cela de toi.

— Les, c'est ce qu'ils ont dit.

— Mon Dieu ! Mais quand ?

— Te rappelles-tu quand je suis revenue de l'université pour mon vingt et unième anniversaire ? C'est à ce moment qu'ils m'ont annoncé que mon avenir était tout tracé, expliqua-t-elle avec un rire amer. Je n'avais qu'à me présenter à WDIX, et mon succès était garanti !

— Oh, mon Dieu, ils t'ont annoncé cela tout en te donnant ton argent ?

— Ils l'ont gardé, lâcha Sharlee. Quand j'ai décliné leur généreuse proposition, ils ont refusé de me donner mon argent. Ils m'ont dit qu'une fois que je serais devenue adulte, que j'aurais un emploi stable et qu'ils auraient la conviction que je ne dépenserais pas mon argent n'importe comment…

— Oh, Charlotte…, dit Leslie, qui semblait sur le point de fondre en larmes. Je n'avais aucune idée…

— Ne t'en fais pas, répondit Sharlee en tapotant la main de sa sœur. Je m'en suis sortie. Enfin, presque. Mais c'est la raison pour laquelle je n'ai pas remis les pieds à Lyoncrest depuis, et que je ne compte pas le faire prochainement.

— Dois-je comprendre qu'ils gardent toujours ton argent ? demanda Leslie, étonnée.

Avec un hochement de tête, Sharlee la rassura.

— Tu sais quoi ? Je m'en fiche.

— Je ne sais pas quoi dire, répondit Leslie, en essuyant ses larmes. Je n'étais absolument pas au courant. Je regrette que Michael ne soit pas là, parce qu'il trouve toujours une solution à tous les problèmes.

Sharlee fut surprise de la jalousie qu'elle éprouva en entendant sa sœur parler ainsi de son époux.

— Ton mari semble très gentil, dit-elle. Et séduisant, qui plus est.

— N'est-ce pas ? répondit avec fierté Leslie, qui était habituellement si modeste et effacée. Et ce n'est pas tout : il m'aime ! *Moi* ! Et ça a complètement changé ma vie.

Ce fut au tour de Sharlee de sentir les sanglots lui monter aux yeux.

— C'est tellement merveilleux de te voir si heureuse. Tu le mérites vraiment.

— Toi aussi. Mais je doute que tu trouves réellement le bonheur tant que tu ne seras pas réconciliée avec la famille. Même si tu leur reproches certaines choses.

— Peut-être, répondit sans conviction Sharlee. Leslie, tu sais comme moi qu'ils m'ont toujours traitée comme un bébé. Je n'ai aucune envie d'être protégée si je n'en ai pas besoin.

« Protégée. » Le souvenir de la conversation entre son grand-père et son grand-oncle lui revint en mémoire : « Plus de secrets… que de bougies sur ce gâteau… »

— Les, reprit-elle, sais-tu si notre famille s'efforce d'étouffer quelques secrets inavouables, des choses comme ça ?

La question sembla prendre Leslie complètement au dépourvu.

— Non… Pourquoi me poses-tu cette question ?

— Je pensais que tu aurais pu découvrir quelque chose, quand tu faisais des recherches sur la famille Lyon pour le cinquantenaire.

— Pas vraiment, répondit Leslie, qui sembla soudain mal à l'aise. Quel intérêt ?

— Aucun, si personne n'a rien à se reprocher.

— Eh bien, reprit Leslie... Je dois reconnaître qu'il y a un secret.

— Au sujet de qui ? demanda Sharlee, impatiente.

— Ça nous concerne, maman, grand-mère et moi.

Elle marqua une pause avant de reprendre :

— Mon père — mon père biologique — était un homme séduisant, mais aussi un voyou mêlé à beaucoup de... d'affaires illégales, disons. Il a été tué dans un parc un ou deux mois avant ma naissance.

— Quoi ? Je croyais que maman avait divorcé.

Leslie émit un petit rire tendu.

— Je l'espère. Après sa mort, grand-mère a remboursé toutes ses dettes : alcool, jeu, femmes.

— Pourquoi aurait-elle fait cela, si papa et maman n'étaient ni mariés ni fiancés, à l'époque ?

Leslie secoua la tête.

— Je ne suis même pas sûre que papa — enfin, André — connaissait maman à l'époque. Mais la mère de maman était une vieille amie de grand-mère, et tu sais combien elle tient à venir en aide à ceux qui en ont besoin...

Sharlee le savait, en effet. Au fil des ans, Margaret Lyon était devenue amie avec de nombreuses personnes en difficulté, et elle en avait même accueilli à Lyoncrest.

— Pourquoi est-ce que personne ne m'en a jamais parlé ? se demanda Sharlee à haute voix.

Leslie soupira.

— Maman avait honte d'avoir fait un aussi mauvais choix. Elle souhaitait que personne ne le sache.

— Mais *toi*, tu le sais.

— Seulement parce qu'oncle Charles et Alain ont engagé

un détective privé il y a quelques années, apparemment pour déterrer quelque chose à utiliser contre André. Maman m'a alors tout raconté parce qu'elle avait peur que je ne l'apprenne autrement.

Sharlee était décontenancée par ces révélations.

— Oui, mais elle t'en a parlé à toi, et pas à moi.

— Tu n'étais pas là, lui rappela Leslie. Tu étais déjà dans le Colorado. Tu nous tournais le dos. Comment pouvaient-ils te confier quoi que ce soit, alors qu'ils ne t'avaient quasiment pas vue depuis tes seize ans ? Tu ne venais qu'une semaine ou deux par an, l'été. Et encore, il fallait te supplier.

— Personne dans cette famille n'a entendu parler du téléphone ? se défendit Sharlee, qui reconnaissait malgré tout que Leslie n'avait pas complètement tort.

— Tu aurais envie d'apprendre ce genre de nouvelle par téléphone ?

— Je ne pense pas..., concéda Sharlee à contrecœur.

Elle repensa aux révélations que venait de lui faire sa sœur, et dit avec un petit sourire au coin des lèvres :

— En fait, cela jette un tout nouvel éclairage sur les choses.

— Comme quoi ?

— Comme découvrir que maman est un être humain, après tout.

— S'il te plaît, demanda Leslie en prenant les mains de Sharlee dans les siennes, ne dis rien. Elle a tellement honte de cet épisode de son passé...

Elle s'arrêta, écarquilla les yeux, et sourit à quelqu'un qui se trouvait derrière Sharlee.

— Salut, Dev. Prends une chaise.

Ce qu'il fit, mais Sharlee ne tourna pas le regard vers lui.

— Comment ça va ? demanda-t-il prudemment.

— Ça va, je pense, répondit Leslie d'un ton peu convaincu.

Je… je viens de parler de mon père à Sharlee. De mon vrai père.

Cette fois, Sharlee se retourna vers Dev.

— Tu savais ?

— Oui. J'ai lu le rapport du détective.

— Bien, de mieux en mieux. Tout le monde savait sauf moi, alors qu'il s'agit de *ma* mère.

— Dev n'est pas tout le monde. Il fait partie de la famille, et je lui fais entièrement confiance.

« Pas moi », pensa Sharlee, agacée qu'il semble savoir bien plus de choses qu'elle.

— Peu importe. Y a-t-il autre chose que tout le monde sache et que j'ignore ?

— Rien, mais pourquoi voudrais-tu déterrer quoi que ce soit ? Chercher des problèmes ? Nous sommes heureux ; ne changeons rien, répondit Leslie. En tout cas, moi je me sens heureuse.

Et Sharlee pouvait voir que c'était la vérité. Malgré tout, elle ne pouvait pas s'empêcher de penser qu'il y avait plus, beaucoup plus à découvrir. Le tableau de famille qu'avait brossé Leslie à l'occasion du cinquantenaire était un vibrant hommage aux valeurs qu'incarnaient les Lyon : travail acharné, solidité des liens, loyauté, dévotion… Mais Leslie n'était pas reporter. Elle n'avait probablement pas cherché à creuser, à aller voir au-delà des apparences.

Elle décida de ne plus en parler pour l'instant. Mais elle se promit aussi que, une fois le Bayou Café ouvert et lancé, elle enquêterait vraiment sur les sombres secrets familiaux. Et elle commencerait ses investigations par oncle Charles.

Les deux sœurs se dirent au revoir devant Jax.

— Tu me promets de ne répéter à personne que tu m'as vue ?

— Je te l'ai déjà promis, mais je ferai une exception pour Michael. Il faut que je le lui dise.

— J'imagine, convint Sharlee en hochant la tête.

— Quand est-ce que le Bayou Café ouvre ses portes ?

— Mercredi.

— Nous serons là.

— S'il te plaît, non. Felix dit que ce sera de la folie. Nous n'organisons pas une grande réception, mais nous invitons tout de même du monde — des personnes sur lesquelles nous comptons pour nous faire de la publicité, ainsi que ceux qui passeront dans la rue et auront envie d'entrer.

— Soit, mais nous restons en contact, Charl.

— Je te le promets.

Sharlee embrassa ensuite sa sœur et la regarda s'éloigner, en se demandant quelles répercussions cette rencontre fortuite — si elle était vraiment fortuite — allait avoir…

Felix et Dev convoquèrent l'ensemble de « l'équipe » la veille de l'ouverture du restaurant, pour donner les dernières instructions et des encouragements.

L'inauguration du Bayou Café aurait lieu le 25 août à 17 heures. Ensuite, les portes s'ouvriraient de 11 heures à 14 heures pour le déjeuner, puis de 17 heures à 21 heures pour le dîner, chaque jour de la semaine sauf le dimanche, jour de fermeture hebdomadaire. La fermeture entre chaque service permettrait aux employés de préparer les services de midi et du soir.

Bien entendu, Felix régnerait sur la cuisine. Le géant était tellement enthousiaste que, s'il avait eu le choix, il serait allé cherché lui-même les clients dans la rue. Il avait rempli la réserve, commandé des légumes et des crustacés, et il brûlait de commencer.

Il serait assisté par Dev, qui se chargerait aussi de l'aspect plus administratif et formel de leur affaire : embauche et gestion du personnel, comptabilité, réclamations des clients et autres problèmes.

— Et j'espère qu'il n'y en aura pas, des problèmes, dit Felix, en regardant le personnel d'un œil noir.

DeeDee rit doucement.

— Le client a toujours raison, sauf quand il a tort. Ne t'en fais pas, patron, Sharlee et moi avons déjà tout prévu.

Sharlee espéra que la jeune femme disait vrai. Elles s'étaient vues à deux reprises pour déterminer quel devait être le comportement de deux serveuses dans un restaurant branché, ce qui n'avait pas grand-chose à voir avec l'étiquette prévalant à l'Antoine's ou Chez Charles.

— Utilise ta jugeotte, avait conseillé DeeDee. Ne laisse jamais un verre d'eau ou une assiette à pain vide. N'attends pas que l'on te fasse signe pour commander les boissons ou demander la note, et n'oublie jamais de sourire. Ne t'inquiète pas : sois naturelle, et tout ira bien.

Si DeeDee le disait…

Les deux serveuses accueilleraient aussi les clients et tiendraient la caisse quand elles auraient le temps, avec l'aide de Dev.

Ace, un jeune garçon de dix-huit ans, serait chargé de dresser et débarrasser les tables ; et Augy Deens, un homme d'une quarantaine d'années, s'occuperait de la plonge. Sharlee ne l'avait jamais entendu prononcer un mot, ne l'avait jamais vu au travail, mais Felix s'était porté garant de son sérieux.

L'équipe était donc plutôt restreinte, mais Felix et Dev promirent d'engager du monde dès que l'argent rentrerait.

Sharlee espéra que ce serait rapidement le cas, car elle craignait que l'équipe soit trop limitée pour relever le défi.

— Et maintenant, annonça Felix, nous avons un petit

cadeau pour vous tous. Nous vous invitons à dîner, et nos deux fantastiques serveuses, Sharlee et DeeDee, vont vous apporter le meilleur jambalaya que vous ayez jamais goûté. Je vous en prie, prenez place.

En se frottant les mains, Felix regagna sa cuisine.

DeeDee et Sharlee se regardèrent, puis la plus jeune des deux éclata de rire.

— Fantastique ! dit-elle. Tape là, ajouta-t-elle.

Sharlee, encore sous le coup de la surprise, tapa dans la main de DeeDee. Oui, elles allaient réussir ! Elles se sentaient gonflées à bloc.

C'est alors que Sharlee s'avança vers la table. Dev, Ace et Augy la fixaient, l'air d'attendre quelque chose. Prenant une profonde inspiration, elle redressa les épaules : après tout, elle avait connu pire…

Puis elle attrapa un carnet de commandes sur le comptoir, et se dirigea vers la table en affichant un grand sourire.

— Bienvenue au Bayou Café, lança-t-elle chaleureusement. Votre choix est-il fait ?

— Où est mon verre d'eau ? demanda Ace d'un air bougon. Vous n'avez pas de serveuses, par ici ? Je ne peux pas commander tant que je n'ai pas eu mon verre d'eau.

Augy brandit alors sa fourchette :

— Et moi, je voudrais une fourchette propre. Il y a des traces de je ne sais pas quoi sur celle-ci. Qui fait la vaisselle, ici ? Virez-le sur-le-champ !

Sharlee se recula d'un pas.

— Oui, monsieur. Tout de suite, monsieur.

Puis elle fila derrière le comptoir, pour remplir les verres d'eau et prendre des couverts propres.

Et se calmer. Elle ne se trouvait pas aux prises avec de vrais clients, et il était hors de question qu'elle perde son sang-froid. A la table, les deux hommes continuaient à faire des commentaires tandis que Dev se contentait d'observer avec un petit sourire amusé.

Penchée par-dessus le comptoir, DeeDee lui glissa :

— Ne les laisse pas te déstabiliser. Ils essaient seulement de te mettre à l'épreuve parce que tu n'es pas du métier.

— Je peux assumer, assura Sharlee. J'ai bien tenu tête à un maire et à un membre du Congrès, et ces deux-là ne me font pas peur.

— Tu as vraiment fait ça ? demanda DeeDee, étonnée.

— Dans une autre vie, s'empressa de préciser Sharlee. Dans une autre vie.

Le Colorado lui semblait, en effet, appartenir à une autre vie. Et aussi étrange que cela puisse paraître, jouer à la serveuse l'amusait plutôt.

Elle apporta les verres d'eau et les posa devant chaque homme. Puis elle distribua les couverts d'une manière qui lui parut très professionnelle.

Ace lui adressa un petit sourire insolent et fit délibérément tomber sa serviette.

— Zut, dit-il d'un air faussement contrit. Il va falloir m'en apporter une autre.

— Bien sûr, monsieur, dit Sharlee avec un sourire, tout en prenant une nouvelle serviette dans le distributeur. *Maintenant*, puis-je prendre votre commande ? Aujourd'hui, je vous conseille le jambalaya, une spécialité de notre chef.

Augy fronça les sourcils.

— C'est quoi ? Je viens de l'Illinois, et je n'en ai jamais entendu parler.

— Vous adorerez. Il y a des écrevisses…

— Des écrevisses ! s'exclama Ace, d'un air faussement outré. Quelle horreur ! Apportez-moi un bon steak grillé.

— Pour moi, ce sera des « bouritas ». Vous savez, ces machins mexicains avec de la sauce piquante.

— Des *burritos* pour monsieur, dit Sharlee sans se départir de son sourire. Et pour vous ? ajouta-t-elle en se tournant vers Dev.

— Ma douce, apportez-moi simplement ce que le chef est en train de mijoter.

Curieusement, ce fut la commande de Dev — pourtant simple — qui la déstabilisa le plus. Peut-être parce que c'était les premiers mots qu'il lui adressait depuis qu'ils avaient rencontré Leslie.

— Tu t'en es bien sortie, dit Augy.

Il posa ensuite un dollar de pourboire sur la table, embrassa timidement Sharlee sur la joue, puis il fila en cuisine, pour aider à tout nettoyer et ranger avant de rentrer chez lui.

— Ouais, il a raison, ajouta Ace avec un sourire.

Il prit le dollar laissé par Augy, puis :

— Je vais bien m'occuper des tables. Tu peux compter sur moi.

— Je te fais confiance, Ace.

DeeDee leva les pouces en signe de victoire, puis elle suivit les hommes dans la cuisine, où elle allait certainement faire un rapport complet à Felix.

Avec un soupir, Sharlee se laissa tomber à la place d'Ace.

— Je suis épuisée, avoua-t-elle.

D'un air distant et pensif, Dev répondit :

— Serveuse n'est pas un métier de tout repos.

— C'est surtout beaucoup de tension.

Elle se souvint avec nostalgie du massage que Dev lui avait fait à Denver.

— Tu semblais si parfaitement à l'aise, pourtant.

— Comme quoi, tu ne me connais pas aussi bien que ça…

— Comme si je ne le savais pas déjà, dit-il en se levant.

— Non, reste, demanda-t-elle.

Et elle le retint par le bras

— Dev, on n'a fait que se croiser, dernièrement.

Dev ne se radoucit pas, mais il ne tenta pas non plus de se dégager.

— J'ai été occupé.

— Comme nous tous. Tu sais, je dois admettre que j'ai été très heureuse de rencontrer Leslie, l'autre jour. Si tu y es pour quelque chose…

— Non, répondit-il rapidement et sèchement, comme si l'accusation de Sharlee ne le surprenait pas.

— D'accord, je te crois, dit-elle en retirant sa main. J'essayais seulement d'être gentille. Quel est ton problème ?

Même si elle avait posé sa question sur un ton désinvolte, Dev lui répondit avec un air sérieux :

— Je me trouve entraîné dans une affaire qui ne me regarde pas du tout, finit-il par expliquer. Entre toi et ta grand-mère…

— Ma grand-mère ? Tu lui rends toujours des comptes ?

— Plus maintenant.

— Mais elle sait que je suis ici ?

— Oui.

— Depuis le début ?

— Oui.

— Nom d'un chien, Dev, tu m'avais promis !

— Je ne t'avais rien promis. C'est toi qui avais promis pour moi.

— Je n'ai pas les mêmes souvenirs que toi.

— C'est ce qui s'est passé. J'ai renoncé à être responsable de toi avant que nous ne quittions le Colorado.

— Responsable de moi ?

Ils se fixèrent, le regard de Sharlee était chargé de colère, et celui de Dev rempli de mépris.

Au bout d'un moment, il haussa les épaules et tourna les talons.

Le téléphone sonna au moment où Dev pénétrait dans son bureau, à côté de la réserve. Les accusations de Sharlee résonnaient toujours à ses oreilles. C'était la Reine de fer en personne qui appelait.

— Devin, mon petit, j'appelais pour...

— Je vous arrête tout de suite, tante Margaret. Je vous ai déjà dit que je ne voulais plus...

— Oui, oui, je sais. Mais tu es mon seul contact avec Charlotte. Je dois savoir : a-t-elle changé d'avis, maintenant qu'elle est de retour ?

— Pas que je sache. Et je n'essaie pas de l'influencer.

— Mon Dieu...

Face à tant d'angoisse, Dev resta sans voix. Qu'aurait-il pu dire, d'ailleurs ?.

— Il faut vraiment que je trouve le moyen d'annoncer à Paul qu'elle est en ville, même si elle nous en veut toujours. S'il apprenait la nouvelle brutalement...

— Vous feriez mieux de ne pas tarder, conseilla-t-il.

— Je le ferai aujourd'hui, mais il a vu le médecin ce matin et il est épuisé.

— Attendez demain, dans ce cas.

— Non. Le médecin a prévu de lui faire subir des examens le matin, et l'après-midi, il rencontre les membres d'une association.

— Pourquoi pas demain soir ?

— Je crains que cela ne soit pas possible. Charles et Alain

l'ont invité à dîner. Je ne sais pas trop pour quelle raison. Charles a beaucoup insisté.

Les dernières paroles de Margaret alertèrent Dev.

— Auraient-ils quelque chose d'embarrassant à lui annoncer ? Dans ce cas, compte tenu de la santé de Paul, ce dîner n'est peut-être pas une bonne idée.

— Il y a peu de chances qu'ils fassent des révélations lors d'un dîner dans un lieu public, Devin. Si révélations il doit y avoir.

— Je suppose qu'ils l'emmènent Chez Charles ?

— Bien évidemment.

— Vous y allez, vous aussi ?

— Je ne peux pas ; et du reste, je ne suis pas invitée. J'ai promis à Andy-Paul et Cory — c'est la belle-fille de Leslie, une enfant adorable — que nous irions acheter leurs uniformes pour l'école, demain soir, avant que les boutiques ne soient en rupture de stock. Ensuite, nous dînerons tous les trois. Je ne peux pas les décevoir.

— Soit, comme vous voudrez, tante Margaret, mais je pense que vous ne devriez pas trop attendre pour informer Paul que Sharlee est ici.

Il essaya de prendre du recul, de se convaincre que tout cela ne le concernait pas. Mais elle trouva le moyen de l'impliquer malgré lui.

— Pourrais-tu venir à Lyoncrest après-demain matin, pour m'aider à le lui annoncer ? Ce serait plus facile si tu étais là, si tu répondais à ses questions.

Bon sang ! Exactement le genre de chose qu'il aurait voulu éviter… Mais comment ignorer l'inquiétude de sa tante ?

— Si vous pensez que je peux être utile…

— Plus que tu ne le penses, répondit-elle d'une voix soulagée. J'ignore comment Paul réagira. Merci, Devin.

— De rien. Mais c'est la dernière fois. Je refuse d'être plus longtemps le chien de garde de Sharlee.

8.

Aux environs de 20 heures, le lendemain soir, Sharlee était courbattue et éreintée. Et si elle entendait encore un seul client se plaindre parce qu'il n'y avait plus de jambalaya en cuisine, elle allait hurler.

Elle observa DeeDee qui se déplaçait sereinement de table en table, riant et plaisantant avec chaque client, serrant les dents et continuant à travailler.

Dev, qui secondait Felix en cuisine, vint la rejoindre.

— Tout va bien ?

— Je ne sais plus. Je n'ai même pas eu le temps de…

— S'il vous plaît ! appela un client chauve. Un peu plus de sauce.

— Je m'en occupe, proposa Dev. Toi, occupe-toi de la six. Ils réclament l'addition.

— Bien.

Redressant les épaules, elle s'exécuta.

La foule commençait un peu à diminuer. Le restaurant avait ouvert à 17 heures et, en l'espace d'une demi-heure, toutes les tables avaient été occupées.

Elle posa la note sur la table six et regarda la famille de quatre personnes avec un grand sourire.

— Avez-vous besoin d'autre chose ?

La dame lui sourit en retour.

— Rien, merci, répondit-elle avec un accent de Nouvelle-Angleterre. Félicitez seulement le cuisinier pour nous.

— Je n'y manquerai pas. Et revenez quand vous voulez !

Après un dernier sourire aux enfants, Sharlee tourna les talons et jeta un coup d'œil à l'ensemble de la salle.

Pour l'instant, tout semblait bien se passer. Ace débarrassait les tables dix et onze, qui avaient été rapprochées l'une de l'autre le long de la fenêtre ouvrant sur le petit jardin arrière. Elle allait l'aider.

Le jeune homme lui adressa un sourire reconnaissant.

— Eh bien, qui aurait cru que nous aurions autant de clients ?

— Je n'avais aucun doute, personnellement.

Elle entendit les portes s'ouvrir et de nouveaux clients entrer. Il allait falloir se composer encore un sourire rayonnant. Mais elle voulait d'abord s'assurer que les deux tables étaient débarrassées. Ramassant les couverts, elle se retourna pour accueillir les nouveaux arrivants…

… Et elle s'arrêta net.

Derrière la table ronde, au milieu de la salle, se tenait Paul.

Son grand-père.

Il la fixait d'un air incrédule. Il était accompagné d'oncle Charles et d'Alain.

— Charlotte ? s'exclama Paul, qui serrait si fort le dossier de la chaise que ses articulations étaient toutes blanches. Mon Dieu, c'est toi…

Dev faisait le tour du comptoir avec un plateau de verres d'eau quand il entendit l'exclamation de Paul. Il trébucha et manqua renverser sa charge. Le temps qu'il recouvre son équilibre et pose son plateau, Sharlee avait disparu et Paul s'était laissé tomber dans un fauteuil, le visage livide.

Dev se précipita vers le vieil homme et s'agenouilla à côté de lui. Il se frotta les mains, qui étaient aussi froides que le marbre.

— Monsieur Lyon, ça va ?

Paul prit une profonde inspiration, et son visage commença à recouvrer quelque couleur.

— C'était bien Charlotte, ou suis-je plus malade que je ne le pensais ? demanda-t-il en posant une main sur son front.

— C'était bien Charlotte.

Puis, levant les yeux vers son beau-père, il demanda :

— Mais pourquoi avoir amené M. Lyon ici ?

Avec une expression faussement outragée, Alain répondit :

— Nous sommes venus te soutenir dans ton nouveau projet, fiston. Comment aurions-nous pu savoir… ?

— Oui, comment ?

Il l'avait fait exprès, pensa Dev, qui se sentit soudain pris de nausées. Il savait depuis longtemps qu'Alain détestait l'autre branche de la famille Lyon — mais de là à faire une chose pareille…

Toutefois, il n'était certainement pas le seul responsable. La prochaine fois que Dev verrait son imbécile de petit frère…

Paul serra la main de Dev.

— Devin, s'il te plaît, il faut que je la voie.

— Où est-elle partie ? demanda Dev, qui regarda tout autour mais ne vit aucune trace de Sharlee.

— Il faut que je la voie, répéta Paul.

— Dès que j'aurai l'assurance que vous allez bien.

— Je vais bien, répondit Paul, sur un ton agacé. J'ai seulement été… surpris. C'est tout. Si on pouvait m'apporter un verre d'eau…

— Voilà, monsieur, dit Ace, qui apporta trois verres d'eau.

Paul but avidement le sien ; Dev remarqua que sa main tremblait de manière presque incontrôlable.

Dev se releva.

— Je vais la chercher. En attendant…

Charles restait impassable. Alain semblait plus curieux de connaître la suite. Dev décida de ne pas dire un mot de plus.

Leur venue était calculée, mais heureusement Paul avait survécu au choc. Maintenant, il fallait que Dev convainque Sharlee de revenir et de se comporter en adulte.

Il trouva la jeune femme à l'office — ou plus exactement dans la rue sur laquelle donnait l'office. Elle était hors d'elle. Tremblante. Quand Dev la rejoignit, elle se tourna vers lui.

— C'est ta faute. C'est toi qui lui as dit de venir.

— Je n'aurais jamais fait une chose pareille.

— Pourquoi est-il ici, alors ? demanda-t-elle en lui adressant un regard plein de souffrance. Tu te rends compte que le choc aurait pu le tuer ?

Dev posa les mains sur les épaules de la jeune femme.

— Oui, je m'en rends compte, mais pas toi, on dirait. Pourquoi avoir pris la fuite ? Le mal était déjà fait, et le pauvre a cru avoir eu une hallucination.

— Ç'a été un choc pour moi aussi.

— Mais tu n'es pas une octogénaire au cœur fragile.

Elle prit une inspiration.

— Tu as raison. Je te demande pardon. Je commençais à me sentir en sécurité ici, et…, dit-elle d'une voix tremblante.

Mais elle ne termina pas sa phrase et se cacha le visage dans les mains. Elle tremblait si fort que Dev avait peur qu'elle s'évanouisse. Alors il l'attira et la tint serrée contre lui. Caressant doucement ses cheveux, il dit :

— Je sais que tu es fatiguée…

— Je ne suis pas fatiguée, je suis déstabilisée. Je n'ai pas eu le temps de me préparer.

— Moi non plus, ma douce.

Il l'obligea à le regarder.

— Je ne lui ai pas dit que tu te trouvais ici. J'ai peut-être des choses à me reprocher, mais pas celle-ci.

— Alors qui ?

— Cela n'est pas important pour le moment, répondit Dev, qui ne voulait pas accuser son frère sans avoir l'absolue certitude de sa culpabilité. Sharlee, il faut que tu retournes dans le restaurant et que tu parles à ton grand-père.

Pendant un moment, il crut qu'elle allait refuser. Elle réfléchit longuement, puis hocha la tête.

— Bien sûr, je vais le faire. Je me sens mieux.

Elle posa ensuite sa main sur celle de Dev et ajouta :

— Reste avec moi, tu veux bien ? Nous sommes tous les deux dans cette galère, alors restons ensemble.

— Grand-père, je te demande pardon de m'être enfuie ainsi. J'étais si… surprise, tu sais, expliqua Sharlee, qui se pencha pour embrasser le vieil homme sur la joue, avant de s'agenouiller à côté de lui.

Paul passa un bras autour de ses épaules et l'étreignit à son tour.

— Charlotte, ma petite fille chérie, si tu savais combien je suis heureux de te revoir.

Dev croisa le regard de son beau-père. Celui-ci assistait à cette scène de retrouvailles sans manifester la moindre émotion.

Paul finit par se redresser. Il s'éclaircit la voix et essuya du revers de la main une larme sur sa joue.

— Je ne comprends pas, Charlotte. Comment... ? Pourquoi ?

— C'est difficile à expliquer, grand-père.

Sharlee se leva et Dev lui avança une chaise. Avec un regard reconnaissant, elle s'assit et reprit les mains de son grand-père dans les siennes.

D'une voix mesurée et prudente, elle commença.

— J'habite provisoirement dans le Carré avec Dev, et je travaille ici le temps de trouver un autre emploi.

— Si tu cherches du travail, ma chérie...

— Pas à WDIX, grand-père. Et de toute manière, j'appartiens à la presse écrite. Mais je... je te remercie pour ta proposition.

Toujours aussi surpris, Paul demanda :

— Tu as parfaitement le droit de travailler où tu veux, j'imagine. Mais pourquoi avoir tenu ton retour secret ? Pourquoi n'es-tu pas venue à la maison ? Ta chambre est prête et t'attend, tu sais.

Mal à l'aise, Sharlee baissa les yeux ; Dev comprit qu'elle essayait de trouver les mots pour répondre de la manière la moins agressive possible. De toute évidence, elle ne voulait faire porter la responsabilité de sa situation ni à sa grand-mère ni à ce vieil homme fragile.

— Je suis une femme, plus une gamine, dit-elle enfin. Je dois être capable de régler mes problèmes sans appeler ma famille à la rescousse.

Paul lui adressa un regard triste.

— Voilà une parfaite illustration de la société américaine moderne, dit-il en levant les yeux vers Alain, à la recherche de son soutien.

Celui-ci faisait l'intéressé. Hypocrite, songea Dev.

— A quoi sert la famille, si on ne se serre pas les coudes dans les moments difficiles ?

Avant que Sharlee puisse répondre, DeeDee apparut.

— La cuisine va fermer dans dix minutes, et il faudrait peut-être prendre la commande de cette table.

Puis elle écarquilla les yeux.

— Incroyable ! s'exclama-t-elle. Ne seriez-vous pas la Voix de Dixie ?

— Je suis bien Paul Lyon, répondit-il avec un sourire. Et vous êtes ?

— DeeDee Brown. Oh, mon Dieu ! Vous êtes une véritable célébrité, et vous venez dîner au Bayou Café le soir de l'ouverture !

Un murmure parcourut alors la salle.

— Paul Lyon ! Je me disais aussi…

L'air dégoûté, Alain murmura alors entre les dents :

— Formidable. Il ne manquait plus que ça…

Charles dit alors :

— J'ai faim ! Est-ce que quelqu'un peut prendre notre commande ?

Leur repas terminé, les trois hommes se levèrent pour partir, et Paul prit sa petite-fille dans les bras et la tint enlacée pendant de longs instants. Il tenait tellement à elle, et elle lui ressemblait tellement par son obstination, son refus d'écouter les conseils d'autrui…

— Charlotte, murmura-t-il, tu ne peux pas savoir ce que cela représente pour moi de te savoir si proche.

Serrant son grand-père de toutes ses forces, elle répondit :

— Cela représente beaucoup pour moi aussi.

— Nous n'avons pas eu le temps de véritablement parler, ce soir. Puis-je t'inviter à déjeuner demain ?

Elle hésita à peine avant de répondre :

— Je termine mon service à 14 heures.

— Bien, alors rendez-vous à 14 heures pour déjeuner. Je passerai te prendre.

La jeune femme ravala ses sanglots. Paul le devina facilement parce qu'il avait dû, lui-même, en faire autant ce soir. Avec l'âge, il semblait avoir de plus en plus de mal à contenir ses émotions.

— A demain, grand-père. Je t'aime.

— Moi aussi, je t'aime. Tu occuperas toujours une place particulière dans mon cœur, et cela jusqu'à ma mort.

Il serra ensuite la main de Dev.

— Je ne comprends pas exactement quel rôle tu as joué dans tout cela, mais je te remercie de prendre soin d'elle, mon garçon.

Paul laissa Alain le conduire vers la limousine, puis il s'installa sur la banquette rembourrée. A côté de lui, Charles ne cachait pas sa mauvaise humeur.

— Le poisson était sec et la sauce trop riche. Mais qu'est-ce qui a pris à Devin ? Il va faire long feu avec une cuisine pareille.

— Papa, fit remarquer Alain, c'est juste un petit restaurant de quartier. Pas une table gastronomique comme Chez Charles.

Calmement, Paul intervint.

— J'ai trouvé la nourriture excellente et le personnel formidable.

Alain rit.

— Es-tu sûr que le choc n'a pas été trop fort pour toi, oncle Paul ? J'ai du mal à croire que tu t'y connaisses aussi mal en…

Mais Paul n'avait pas envie de discuter, et il laissa Alain monologuer. Il allait devoir annoncer la nouvelle à Margaret, et aussi à André et Gaby. A cette perspective, il sentit son cœur battre très fort. Mais il savait dissimuler. Alain n'avait probablement pas remarqué qu'il était inquiet. Voire paniqué.

— Paul, que se passe-t-il ? demanda Margaret, une fois que son mari fut assis.

Le vieil homme semblait en effet à bout de forces.

— Veux-tu que j'appelle le médecin ?

— Non, non, Margie. Mais tu devrais plutôt demander à André et à Gaby de venir. J'ai une nouvelle à leur annoncer.

Margaret devina de quoi il s'agissait.

Elle comprit qu'une fois de plus Alain s'était servi d'elle. Il semblait toujours trouver la faille dans la forteresse à l'intérieur de laquelle elle essayait désespérément de protéger Paul.

Paul savait maintenant que Charlotte était en ville, et c'était la faute d'Alain. Elle en avait la certitude.

Avant qu'elle ait eu le temps de réagir, André et Gaby apparurent en se tenant par la main. Ils semblaient amoureux comme au premier jour.

— Nous vous avons entendu rentrer, expliqua joyeusement Gaby, et nous avons pensé…

Mais elle s'interrompit et lança un coup d'œil inquiet à son époux.

— Que se passe-t-il, Paul ? On dirait que vous avez vu un fantôme.

— J'ai vu Charlotte, ce soir, annonça Paul.

Gaby poussa un petit cri de surprise et André la prit par le bras pour la faire asseoir dans un fauteuil un rotin, près de la cheminée.

— Papa, c'est impossible. Charlotte travaille à côté de Denver, tu t'en souviens ? Elle est revenue une journée, en juillet, et depuis on ne l'a plus vue.

— Ne me parle pas comme si j'étais sénile, rétorqua Paul.

Elle vit dans le Vieux Carré chez Devin Oliver, et elle travaille comme serveuse dans son nouveau restaurant. Alain nous y a invités, Charles et moi, et je l'ai vue de mes propres yeux.

— Oh, mon Dieu ! dit Gaby, le visage caché dans les mains. Alors il faut la faire revenir à Lyoncrest.

Elle s'apprêtait à se lever, mais André l'arrêta.

— Du calme, Gaby. Papa, qu'a-t-elle dit ?

— Qu'elle était capable de se débrouiller seule.

— Encore..., gémit Gaby. C'est ce qu'elle répète depuis qu'elle a seize ans. Et elle vit chez Dev ? Je pensais qu'il n'y avait plus rien entre eux depuis longtemps...

— En effet, intervint Margaret, même si elle n'avait pas très envie de révéler quel avait été son rôle dans le retour de Sharlee.

D'un autre côté, avait-elle le choix ?

— Elle est de retour, reprit Margaret, parce que j'ai envoyé Devin la chercher dans le Colorado.

Les regards de tous se tournèrent vers elle.

— Elle habite au-dessus du café avec lui et Felix Brown, l'associé de Dev. C'est juste une cohabitation, il n'y a rien de sentimental entre eux. Mais maintenant qu'elle est plus âgée, je n'aurais aucune objection contre une relation plus poussée.

— Moi non plus, dit rapidement Gaby, sauf que ce n'est pas la question. Pourquoi est-elle revenue ?

— Elle... a perdu son emploi de journaliste dans le Colorado, et elle cherche un autre poste... ailleurs.

Paul regardait Margaret avec la même expression qu'elle lui avait vue à de nombreuses reprises : mi-étonnée, mi-réprobatrice. Il n'avait jamais aimé sa propension à manipuler les gens. Seulement, de quelle autre manière était-elle censée protéger les siens d'eux-mêmes et de leurs adversaires ?

— Pourquoi ne nous as-tu pas avertis qu'elle était en ville ? demanda André, sur un ton de reproche.

— Parce que je ne suis pas supposée le savoir. Charlotte ne veut voir personne, et surtout pas moi.

Ne tenant pas en place, Gaby se leva.

— Je vais la chercher. Où se trouve ce restaurant ?

— Non, Gabrielle, dit André en attrapant sa femme par le bras. Cela ne marchera pas.

— Comment le sais-tu ? s'exclama-t-elle, désespérée. Elle est toujours mon bébé.

— Gaby, chérie, as-tu oublié ma propre jeunesse ? Tu ne te souviens donc plus de ma réaction quand ma mère est venue me chercher alors que j'étais dans une mauvaise passe ?

Il sourit à Margaret en disant cela, et elle soupira à l'évocation des souvenirs doux-amers que les paroles d'André ravivaient. A l'époque, il était un jeune homme en colère, tout comme sa fille était aujourd'hui une jeune femme en colère. Père et fille se ressemblaient tellement…

D'une voix tremblante, Gaby répondit pourtant :

— C'est complètement différent.

— Tu n'en sais rien, et moi non plus. Tout ce que je sais, c'est que nous avons commis des erreurs avec notre fille. L'heure est venue de lui faire confiance et d'attendre qu'elle vienne d'elle-même nous voir.

Gaby baissa la tête. Margaret, qui connaissait et aimait sa belle-fille comme sa propre fille, devina quelle bataille intérieure elle livrait.

Margaret retint son souffle : comme le lui avait dit Devin, si la famille essayait d'influencer Charlotte pour la forcer à revenir, elle risquait de partir définitivement.

Les épaules de Gaby s'affaissèrent, et elle se détourna, prête à éclater en sanglots.

— D'accord, concéda-t-elle enfin. Je vais essayer, mais je ne suis pas sûre d'en avoir la force.

— Mais si, lui assura André, parce que tu n'as pas le choix. Fais-le pour Charlotte, et pour nous tous.

Il faisait nuit. Sharlee se tenait sur le balcon de l'appartement, se demandant comment les choses avaient pu tourner aussi mal. Le souvenir de la pâleur et des larmes de son grand-père la hantait. Pour la première fois, elle l'avait vu vulnérable.

— Tu vas bien ?

C'était Dev.

Il était à l'origine de tous ses ennuis. Dire qu'il était venu la chercher jusque dans le Colorado,... Qu'il avait comploté avec sa grand-mère pour saboter son avenir, sa carrière, les meilleurs perspectives professionnelles qu'elle ait jamais eues. Etait-il aussi responsable de la visite impromptue de grand-père ?

— Oui, ça va.

— Ce n'est pas flagrant, observa-t-il en venant la rejoindre sur le balcon. Tu sais, j'étais aussi surpris que toi et que ton grand-père. Bon sang, si je l'avais prévenu de ta présence, crois-tu qu'il aurait reçu un tel choc en te voyant ?

Il se trouvait des excuses alors qu'elle ne lui avait encore fait aucun reproche.

— Je suppose que non.

— Ne te renferme pas, Sharlee. Je te préfère quand tu cries et que tu me jettes des choses à la figure, plutôt que me trouver face à... ce bloc de glace.

Elle se força à rire.

— Dev, les enfants crient et jettent des choses. Mais j'ai grandi, tu t'en souviens ?

— Si j'oublie, tu peux me le rappeler.

Après avoir exhalé un soupir, Dev reprit :

— J'ai l'impression que tu ne me crois pas.

— Quelle différence cela fait-il ?

— Cela fait une différence pour moi. Je ne ferais jamais une telle chose à ton grand-père, même s'il était en bonne santé — ce qui n'est pas le cas.

Elle aurait préféré qu'il ne confirme pas l'impression qu'elle avait eue.

— Je suppose que grand-mère t'a dit la vérité à ce sujet, admit-elle à contrecœur. Tout est si compliqué.

Malgré la pénombre, elle pouvait voir clairement le visage de Dev : sa mâchoire carrée, ses yeux vifs.

— Qui est au courant de ma présence ? demanda-t-elle. Grand-mère, grand-père, Leslie… Presque toute la famille, en somme. Cela veut dire que papa et maman le savent aussi, ou ne vont pas tarder à l'apprendre. Et alors ils voudront certainement mettre leur grain de sel.

— Que feras-tu si cela arrive ?

Elle serra les dents.

— Je pense que je repartirai.

— Pour aller où ?

— Ailleurs. Quelle importance ?

Elle se redressa, pensant qu'il valait mieux briser là pour échapper à la tension qu'elle sentait monter entre eux. Toutefois, elle ne put s'empêcher d'ajouter sur un ton amer :

— Je savais que c'était trop bien pour durer.

— « Trop bien » ? s'exclama Dev, incrédule.

La tension sembla monter encore d'un cran.

— De quoi parles-tu ?

— Tu ne vois vraiment pas ? Je veux dire… libre. Jusqu'à présent, je n'avais encore jamais agi sur un coup de tête… Jeter la raison aux orties… Tout plaquer… Essayer quelque chose de nouveau sans me soucier des conséquences… Lâcher prise. Pour une fois, je me sentais libre à La Nouvelle-Orléans. Et c'est fini.

— C'est plutôt triste.

Dev prit alors la main de Sharlee. Surprise par ce geste, elle le laissa faire. Puis il dit sur un ton songeur :

— Pour être tout à fait sincère avec toi, je ne m'y suis jamais vraiment senti libre non plus.

— Mais tu as ta propre affaire…

— Certes, mais…, répondit-il dans un murmure. Tu as peut-être raison, au sujet de cette ville : il vaut mieux y avoir son passé que son avenir.

Le sentiment le plus étrange la parcourut alors qu'elle se tenait là, avec les lèvres de Dev qui lui effleuraient les doigts. Pour la première fois, elle se dit qu'il la comprenait peut-être. Qu'il partageait ses réticentes à vivre dans la ville des Lyon, dans leur proximité. Il semblait déchiré par les mêmes dilemmes — même s'il s'en débrouillait différemment.

Comme il s'était arrangé différemment de leur séparation.

— Dev, dit-elle soudain, le moment me semble aussi bien choisi qu'un autre…

Elle essaya de retirer sa main, mais il la retint.

— Le moment pour quoi, Sharlee ?

Elle humecta sa lèvre inférieure, consciente qu'elle était sur le point d'évoquer un sujet encore très douloureux pour elle.

— Pour te demander pourquoi tu m'as envoyé cette horrible lettre, il y a neuf ans. Cette question me tourmente depuis toutes ces années. J'en ai analysé chaque phrase, mot par mot, et je ne comprends toujours pas.

Comme elle ne pouvait supporter de le regarder, elle préféra regarder leurs mains jointes.

— Je ne sais pas pourquoi j'en parle maintenant. Quelle importance, après tout ? Pourtant… j'ai besoin de savoir.

Le silence de Dev ne présageait rien de bon.

— Je devais le faire, répondit-il enfin. Nous nous engagions de plus en plus dans une situation que nous ne pouvions contrôler. J'ai pensé qu'une lettre serait un moindre mal.

Son malaise paraissait augmenter de seconde en seconde.

— J'ai essayé d'être le plus gentil possible. Tu ne me croiras peut-être pas, mais j'ai longuement pesé chaque mot.

— Un scalpel aurait été infiniment plus délicat.

Elle avait toujours voulu lui dire. Il poussa une sorte de grognement, et elle en ressentit une certaine satisfaction.

— J'essayais de te présenter des excuses, soupira-t-il.

Malgré l'intense douleur qu'elle ressentait, elle réussit à rire.

— Te rappelles-tu au moins ce que tu m'as écrit ?

Fermant brièvement les yeux, elle récita :

— « Chère Sharlee, pardonne-moi de t'avoir entraînée dans un tel gâchis. »

— C'est une excuse…

— Mais moi, je ne considère pas que notre relation était un « gâchis ». « Je suis plus âgé que toi et j'aurais dû le savoir. En fait, je le savais mais j'ai perdu la tête. »

— J'étais sincère, je te le jure.

Il déposa un baiser dans la paume de Sharlee, mais son geste manquait de naturel.

Maintenant qu'elle avait commencé, elle ne pouvait plus s'arrêter.

— « Je te demande pardon pour tout, et j'espère que tu auras le meilleur avenir possible. »

— Je le pensais.

— Tu n'as pas l'impression que l'on aurait dit une lettre à une presque inconnue ? Ce n'est pas nécessairement ce qu'une jeune fille a envie d'entendre.

— Sharlee, je t'assure que j'ai essayé d'être le plus sincère possible.

Il posa la main de Sharlee contre sa poitrine et l'y maintint.

— Tu étais une toute jeune fille, trop jeune pour…

— Pour une aventure ?

Elle ne pouvait pas le regarder, sauf à révéler l'intensité des émotions qui lui faisaient battre le cœur et chercher son souffle.

— J'ai presque terminé, dit-elle sèchement. Tu as écrit : « Un jour, nous en rirons… »

Il soupira.

— Je reconnais que ce n'était peut-être pas très malin de ma part, mais à l'époque j'étais désemparé. J'essayais de faire ce qu'il fallait pour nous sortir tous les deux d'une situation impossible.

— Une situation impossible ? Dev, comment as-tu pu me faire cela ?

« Parce que ta grand-mère m'a convaincu que c'était la plus belle preuve que je pouvais donner de mes sentiments pour toi, aurait-il voulu avouer. Ni les pleurs de ta mère ni les menaces de ton père ne m'ont jamais fait vaciller, mais Margaret, elle, a finalement réussi à trouver les arguments. »

Il ne dirait rien. Il avait promis de garder le silence. Entre Alain qui le pressait, et Margaret qui le suppliait de mettre un point final à leur liaison parce que sa petite-fille était trop jeune et immature pour s'engager dans une relation sérieuse, que pouvait faire un jeune homme qui savait depuis le début qu'il allait au-devant de gros ennuis ?

Dev craignait Alain, alors qu'il aimait et admirait Margaret. Après avoir réfléchi, il avait écrit la lettre. Il avait aussi promis à Margaret qu'il ne révélerait à personne quel rôle elle avait joué. Jamais il n'avait imaginé que Sharlee souffrirait autant… Il avait pensé qu'elle serait en colère, mais pas qu'elle se sentirait blessée. En tout cas, il n'avait eu que de bonnes intentions.

Aujourd'hui, elle posait sur lui un regard malheureux et amer.

— Explique-moi, Dev, supplia-t-elle d'une voix étouffée. Explique-moi pourquoi.

Il ne pouvait pas. Mais il ne pouvait pas non plus lui mentir.

— Je… j'ai fait ce que je devais faire, répondit-il. Nous étions jeunes, tous les deux. Tu sais, je n'ai pas cherché à sortir avec toi, pas plus que tu n'avais cherché à sortir avec moi. C'est arrivé, voilà tout. Quand ta mère nous a surpris…

… Dans la serre, en train de s'embrasser passionnément.

— Je n'étais pas trop jeune pour t'aimer, murmura-t-elle. Car je t'aimais.

Elle s'approcha alors vers lui, le regard brûlant. Si elle décidait de le gifler, de le griffer, il ne bougerait pas. Parce que si cela pouvait aider Sharlee à surmonter sa douleur, il était prêt à payer.

Mais ce regard et ce que cela promettait… Comment allait-il résister à *ça* et éviter une réaction en chaîne qui les entraînerait bien au-delà de leurs flirts d'autrefois ?

Sharlee en avait l'intime conviction : il lui fallait prendre sa revanche avec des armes bien à elle — c'est-à-dire coucher avec Dev.

Oui, elle allait coucher avec lui, et ensuite elle l'abandonnerait en ne laissait derrière elle qu'une lettre d'adieu qui le tourmenterait pendant des années ! Si toutefois il était capable d'éprouver des sentiments profonds.

Alors, sa décision prise, elle caressa l'épaule de Dev, puis son cou et l'attira à elle jusqu'à ce que leurs lèvres se touchent.

Ce baiser n'était qu'une esquisse de la punition qu'il méritait et qu'elle allait enfin lui infliger.

Une punition, vraiment ? Rapidement, Sharlee perdit tout contrôle. En fait, dès que Dev referma les bras autour d'elle, l'embrassa et la plaqua si fort contre lui, elle se grisa de l'intensité d'un tel désir.

Un incendie s'alluma en elle. Cette étreinte fougueuse n'avait rien de commun avec leur timide intimité d'autrefois, du temps où Dev, plus expérimenté qu'elle, craignait de lui faire mal ou peur. Aujourd'hui, ils étaient un homme et une femme portés l'un vers l'autre par leur attirance, et rien ne les inquiétait plus.

Brûlante, elle s'enroula comme une liane autour de lui. Il la serra plus fort dans ses bras et elle s'abandonna tout à fait. Les baisers de Dev promettaient tant de choses merveilleuses, magiques… Ses mains, aussi, qui allaient et venaient sur son corps, effleuraient habilement ses seins, sa taille, ses hanches…

— Bon sang, murmura-t-il, je ne voulais pas que cela arrive. Je dois être fou.

— Fou ?

Il lui caressa les seins et une plainte lascive lui échappa.

— Tu ne peux m'apporter que des ennuis. Chaque fois que tu déboules dans ma vie, c'est une catastrophe.

— Attends, dit-elle en prenant le visage de Dev entre ses mains. Qui est venu chercher l'autre ?

— Je sais. Et maintenant je te tiens.

Sur ces mots, il la souleva dans ses bras. Il n'était plus question de vengeance, de punition, dans l'esprit de Sharlee, à présent… La situation ne tournait pas du tout comme elle l'avait prévu.

— Oh, hé, les amis ! Que diriez-vous d'une petite fête ? Ce vieux Felix est de retour avec une bouteille de champ…

Silence de mort. Sharlee ouvrit les yeux et sourit d'un air absent au grand gaillard qui se tenait au seuil du balcon, en contre-jour — bouchée bée, et une bouteille de champagne à la main.

— Nom d'un chien, siffla Dev entre ses dents.

Ensuite, il cligna les yeux et hocha la tête, comme s'il se réveillait.

— Que sommes-nous en train de faire ? murmura-t-il.

— Je pourrais t'expliquer, mais je pense que tu trouveras tout seul.

Se forçant à sourire à Felix, Sharlee dit alors d'une voix mal assurée :

— Je suis toujours prête pour faire la fête.

Elle quitta les bras de Dev, rentra d'un pas mal assuré dans l'appartement. Et remercia intérieurement Felix d'être arrivé avant que l'irrémédiable se produise.

9.

Ils terminèrent la bouteille de champagne, et Felix alla en chercher une autre dans le réfrigérateur du restaurant, qu'ils vidèrent aussi. La soirée rappelait à Sharlee les nuits blanches qu'elle passait avec ses amis et ses camarades de dortoir, à l'université.

Felix était intarissable au sujet de l'ouverture et de ses projets et espoirs pour l'avenir, alors que Dev parlait à peine. Il éprouvait peut-être un léger malaise. Ou de la frustration, pensa Sharlee en riant intérieurement…

Lui lançant un coup d'œil furtif, elle réprima un sourire.

Elle en était capable. Oui, elle pouvait séduire, puis abandonner son ancien amant qui l'avait trahie sans éprouver le moindre regret. Certes, elle avait ressenti une certaine excitation dans ses bras, mais elle n'était plus aussi troublée et vulnérable qu'avant. Désormais, c'était elle le maître du jeu. Et elle aimait cela.

Alors, elle sourit et poursuivit son entreprise de séduction, regardant langoureusement Dev, encourageant Felix à leur confier ses projets et buvant du champagne.

— Ça va marcher, répéta pour la dixième fois Felix. Je le sais. Tu récupéreras l'argent que tu as investi, Dev, et tu gagneras plus. Je te le promets.

— Oui, oui…

Dev se réfugiait dans la fatigue.

— Sur cette note optimiste, je pense que je vais me coucher, annonça-t-il.

Les yeux noirs de Felix passèrent alors de Dev à Sharlee.

— Seul ?

— S'il te plaît, Felix ! On ne t'a pas demandé ton…

— Désolé, fit le grand Noir avec un geste conciliant. Mais compte tenu de ce que j'ai vu tout à l'heure, la question ne me paraît pas complètement absurde.

Sharlee lui tapota gentiment le bras.

— Bien sûr qu'elle ne l'est pas, admit-elle. Mais ce que tu as vu, c'était plutôt un baiser du type « l'inauguration fut un succès ». N'est-ce pas, Dev ?

— Je ne connaissais pas cette version du baiser, répondit Felix en levant les yeux au ciel.

— Felix, Dev et moi ne couchons pas ensemble, assura-t-elle.

S'entendre prononcer ces mots la troubla plus qu'elle n'aurait cru, mais elle continua.

— Et si nous décidions de sauter le pas, tu le saurais.

— Tu t'amuses bien ? demanda Dev d'une voix sourde. Sharlee prétend faire de l'humour, expliqua-t-il ensuite à Felix. Tu ne sauras rien du tout parce que rien n'arrivera, tout simplement. Nous ne coucherons pas ensemble. Nous avons déjà essayé, et personnellement cela m'a suffi. Maintenant, si vous permettez, je vais au lit. Seul.

— Eh bien, je reste, dit Sharlee avec un sourire. Je vais aider Felix à vider cette bouteille de champagne. A demain, Dev.

Le lendemain matin, Sharlee ne se sentait plus aussi sûre d'elle. C'était une chose de laisser la colère et l'adrénaline la porter, mais c'en était une autre de se réveiller alors que les effets du champagne ne s'étaient pas encore complètement dissipés et se retrouver face à un homme séduisant et à moitié nu à la table du petit déjeuner.

Toute l'agitation qu'elle avait perçue en Dev la veille semblait avoir complètement disparu. Par ailleurs, alors qu'elle se sentait très sûre d'elle quelques heures plus tôt, elle se sentait honteuse et perturbée par les souvenirs de leur baiser torride sur le balcon.

Dev la traitait comme si elle était son invitée, lui demandant si elle avait bien dormi et si elle voulait bien lui passer le lait.

Elle mentit et répondit qu'elle avait bien dormi. Comme il s'apprêtait à quitter la pièce, elle s'obligea à détourner son regard de la ceinture de son bas de pyjama et dit :

— Je te rappelle que je déjeune avec grand-père à 14 heures.

— Amuse-toi bien, dit-il en hochant la tête.

— Je l'espère, à moins que toute la famille ne l'accompagne, répondit-elle, repensant au scénario qu'elle avait eu le temps d'échafauder pendant sa longue nuit agitée.

— Tu es capable de les affronter.

Elle le regarda partir — mince, carré, redoutablement séduisant et détestable. Bientôt, se promit-elle intérieurement, il perdrait de sa morgue !

A 13 h 55, elle se posta près de la vitrine du Bayou Café pour éviter à son grand-père toute attente inutile. Quand elle vit la longue limousine noire se garer devant le trottoir, elle lança un rapide : « Je suis partie ! », puis sortit.

Le chauffeur lui tint la portière et elle monta à côté de son grand-père, savourant la fraîcheur de l'air climatisé. Paul l'accueillit avec un large sourire.

— J'ai eu peur d'avoir rêvé, hier soir.

— Et moi, j'avais peur que tu n'amènes toute la famille avec toi.

— Ils voulaient venir, mais c'était hors de question. Je leur ai dit que j'avais rendez-vous avec une charmante jeune femme, et qu'ils n'avaient qu'à se trouver une occupation, expliqua-t-il avec un clin d'œil.

— Oh, grand-père, dit-elle avec un petit rire. Je ne suis plus aussi charmante qu'avant. Le monde est une véritable jungle.

— Tu es trop jeune pour dire de telles choses, Charlotte. Si tu étais restée là où tu es chez toi…

Mais le vieil homme s'interrompit et soupira.

— Pardon, je ne voulais pas remettre ce sujet sur le tapis, mais je refuse de te laisser croire que je suis d'accord avec toi, alors que ce n'est pas le cas.

— Alors changeons complètement de sujet. Où m'emmènes-tu déjeuner ? Dans un endroit chic et cher, j'espère. Antoine's ? Brennan's ?

— Et que dirais-tu de Chez Charles ?

Elle rit.

— Arrive-t-il parfois aux membres de la famille Lyon de manger ailleurs ?

— Oui, répondit-il en souriant. Pas plus tard qu'hier soir, et regarde ce qui s'est passé. Je ne suis pas sûr que mon pauvre cœur pourrait supporter trop de surprises de ce genre.

Paul serra affectueusement la main de sa petite-fille dans la sienne et ajouta :

— Bien entendu, cela valait largement le risque. Contentons-nous de passer un bon moment, et je te promets de garder mes questions pour plus tard.

Ce qui ne présageait rien de bon pour un déjeuner décontracté.

Les employés de Chez Charles les accueillirent avec empressement et les conduisirent immédiatement dans l'une des salles à manger. Bien qu'elle ne soit pas venue ici depuis plusieurs années, le décor était exactement comme dans le souvenir de Sharlee, de l'immense lustre de cristal à pampilles accroché au plafond aux nappes bleu roi ornées de petits vases contenant des œillets rouges. Des serviettes blanches enroulées sur elles-mêmes ressemblaient à des cornes sortant des verres à eau.

Les sièges en trop furent enlevés pendant qu'ils prenaient place dans d'élégants fauteuils de cuir. Quand elle vit Alain approcher, Sharlee manqua tourner les talons.

Heureusement, il n'avait pas l'intention de se joindre à eux et il venait seulement s'assurer que tout allait bien. Rapidement, il se mit à donner des ordres aux serveurs, qui s'en sortaient très bien sans lui.

Une fois l'activité un peu retombée, Alain s'adressa à Sharlee :

— Combien de temps aurons-nous le plaisir de ta compagnie à La Nouvelle-Orléans, cette fois ? Ces dernières années, tes visites ont été plutôt brèves.

Persuadée qu'il connaissait déjà la réponse, elle répondit néanmoins sur un ton léger :

— Je ne sais pas encore, oncle Alain. Pour l'instant, je cherche du travail.

Plus exactement, elle se mettrait à en chercher dès qu'elle trouverait le temps de se connecter à Internet et de reprendre contact avec plusieurs collègues.

— Je t'aurais bien prise à l'essai ici, mais comme tu peux le constater, nous préférons embaucher des hommes. Ils sont beaucoup plus fiables.

— La commission pour l'égalité des chances à l'embauche serait ravie de t'entendre, dit-elle avec un sourire. Mais bien entendu, c'est un secret de famille et je ne trahis jamais la confiance d'autrui.

A sa grande satisfaction, elle vit Alain pâlir, mais il ne réagit pas.

— Bien, bien... Je vous souhaite un bon appétit, dit-il en s'inclinant légèrement avant de s'éclipser.

— Bravo, ma chérie ! s'exclama Paul, qui de toute évidence ne se faisait guère d'illusions sur la loyauté de son neveu. Maintenant, Charlotte, parle-moi plutôt de toi, et n'omets aucun détail. Cela fait tellement longtemps que nous n'avons pas eu une véritable conversation, tous les deux.

Alors elle lui raconta le plus anodin : l'université, le travail, des anecdotes sur son métier de journaliste. Toutefois, elle ne pouvait s'empêcher de penser à la tension entre Alain et Paul qui, maintenant qu'elle y pensait, avait toujours été latente. Pourquoi avait-il fallu que Leslie mentionne le rapport du détective pour qu'elle en prenne conscience ?

« Dès que j'en aurai l'occasion, pensa-t-elle, je demanderai à grand-père de quoi il s'agit, et j'enchaînerai sur les secrets de famille. » Elle eut presque l'impression qu'elle avait dormi pendant des années, et qu'elle se réveillait dans un monde complètement différent de celui qu'elle avait connu.

Comme elle arrivait à la fin de son récit, Paul prit la carte des vins et demanda :

— As-tu envie d'un verre ?

Elle n'en avait pas franchement envie, mais cela semblait approprié dans ce type d'endroit.

— Peut-être un merlot.

Paul fit un signe au serveur qui se trouvait non loin de leur table.

— Un verre de votre meilleur merlot pour cette jeune dame.

— Et pour vous, monsieur ?

— Rien, merci.

Sharlee supposa qu'il ne prenait pas de vin à cause de son

âge et de sa santé, et elle se sentit submergée par l'envie de protéger son grand-père. Elle ne l'avait jamais connu jeune, mais elle ne l'avait jamais non plus considéré comme un vieillard fragile. Jusqu'à aujourd'hui.

Une fois le serveur parti, Paul se retourna vers Sharlee.

— Je t'en prie, continue. J'adore tes anecdotes. Elles me donnent presque l'impression de rajeunir.

Sharlee lui raconta alors d'autres anecdotes pendant le repas composé de poisson et de patates douces pour lui, et de jambalaya pour elle. Elle aurait préféré goûter les petits fourrés de crabe accompagnés de pâtes, mais Felix ne manquerait certainement pas de l'interroger sur son repas, et de lui demander de comparer la cuisine à celle du Bayou Café.

Elle trouva la nourriture excellente, mais pas extraordinaire.

Pendant qu'on débarrassait leurs assiettes, Paul soupira.

— C'était vraiment charmant, mais maintenant que notre repas est terminé, il faut que je te pose des questions qui vont peut-être t'agacer.

— Tu as le droit, grand-père, concéda-t-elle.

Elle éprouvait pour lui une telle affection qu'elle était prête à satisfaire sa curiosité si elle le pouvait.

— Je suis au courant au sujet de ton argent, bien sûr.

— Comme toute la famille, j'imagine.

— Non, pas toute la famille. Ce que j'aimerais savoir, ma chérie, c'est si tu as d'autres raisons pour continuer à nous ignorer.

C'était une question difficile. Elle réfléchit un long moment avant de répondre prudemment :

— L'argent est un symptôme et non une cause. Si tu veux connaître mon avis, je pense que papa et maman n'ont pas voulu me donner cet argent parce que je ne répondais pas aux attentes de la famille.

Paul fronça les sourcils.

— Que veux-tu dire exactement, ma chérie ? On croirait du jargon de psychologue.

Elle sourit.

— Tu as dû être un excellent journaliste, parce que tu sais aller directement à l'essentiel.

— Je sais aussi poursuivre mon but jusqu'à obtenir une réponse satisfaisante.

— Tu ne peux pas nier que j'ai longtemps été considérée comme le « bébé » de la famille.

— C'est vrai.

— Et même après la naissance d'Andy-Paul. Tu sais, j'aime mon petit frère, vraiment, mais je ne pouvais pas m'empêcher de me sentir…

— Exclue ? suggéra-t-il doucement.

— Oui, concéda-t-elle en soupirant. Et quand maman a refusé de me donner mon argent, comme elle l'avait fait pour Leslie…

— C'était une décision commune prise par tes deux parents, Charlotte. Tu ne peux pas en rejeter la responsabilité uniquement sur ta mère.

— Quel qu'en soit le responsable, c'était une façon de plus de me souligner que je n'étais pas à la hauteur.

— Etre à la hauteur, répéta Paul. Je ne sais pas d'où te vient une telle idée. Tu as toujours été une vraie Lyon, tout comme André. Sais-tu qu'à une époque, je ne me suis pas non plus montré « à la hauteur » ?

— Toi ? dit-elle en riant. Cela me surprendrait beaucoup.

— Je ne suis pas né avec les cheveux blancs et les rides que tu me vois aujourd'hui. J'ai fait les quatre cents coups, en mon temps…

Son visage prit alors une expression lointaine, comme s'il revoyait le passé.

— Non, je n'ai pas toujours été ce vieux monsieur avisé et respectable que tu as devant toi.

Inquiète tant il était pâle, elle serra la main de son grand-père, y remarquant pour la première fois une vieille cicatrice qui semblait avoir été causée par une brûlure. Il paraissait plus vulnérable que jamais.

— Où veux-tu en venir, grand-père ?

Il tourna vers elle un regard triste.

— A de nombreuses choses, des personnes... André et Margie et...

Il s'arrêta.

— Rien n'est jamais simple, n'est-ce pas ? conclut-il. Un autre verre de vin, ma chérie ?

— Non, merci, répondit-elle, de plus en plus inquiète.

— Dans ce cas, nous allons quitter la table. Cela ne te fait rien ?

— Bien sûr que non.

Du coin de l'œil, elle surprit un mouvement derrière le passage voûté, de l'autre côté de la salle : oncle Charles les observait. Prise d'inspiration, elle dit :

— Grand-père, je pense que je vais rentrer à pied. Le temps ne semblait pas à la pluie tout à l'heure, et je pourrais peut-être arriver au Bayou Café sans me mouiller.

— Comme tu voudras, dit-il en se levant avec raideur. Il faudra que nous recommencions prochainement, ma chérie. J'ai vraiment passé un bon moment.

Elle avait un peu de mal à le croire. Il avait à peine touché à son plat préféré et n'avait même pas goûté une bouchée de son dessert.

— Parce que tu étais en excellente compagnie, répondit-elle en souriant. Je t'accompagne jusqu'à ta voiture.

— Merci, dit-il avec un air las. Je veux bien.

Elle l'accompagna donc, espérant que leur déjeuner n'avait

pas fatigué inutilement son grand-père, et elle se reprocha de ne pas s'en être inquiétée plus tôt.

Comme la limousine démarrait, elle se tourna vers l'entrée du restaurant. Se préparant mentalement à un affrontement, elle en franchit de nouveau les portes.

On aurait pu croire qu'Alain l'attendait, son père à côté de lui.

— Tu as oublié quelque chose ? s'enquit-il avec un léger sourire forcé.

— Non, rétorqua-t-elle avec son sourire le plus aimable. Oncle Charles, aurais-tu un peu de temps pour parler ? J'aimerais que tu répondes à quelques questions pour moi.

— Lesquelles ?

Elle réfléchit rapidement, ne voulant pas trop en dire devant Alain.

— Par exemple, sais-tu d'où vient la cicatrice sur la main de mon grand-père ? On dirait une brûlure.

Alain haussa un sourcil.

— Pourquoi n'as-tu pas posé la question à Paul ?

— C'était mon intention, mais nous sommes passés à autre chose et j'ai oublié.

— Comment veux-tu que mon père se souvienne…

Avec un petit rire mauvais, Charles dit alors :

— Je m'en souviens parfaitement.

Sharlee et Alain se tournèrent tous deux vers Charles, qui hocha la tête.

— C'est arrivé quand Paul avait une douzaine d'années ; j'en avais six.

Comme il ne poursuivait pas, Sharlee le pressa gentiment.

— Que s'est-il passé, oncle Charles ?

— Je l'ai frappé avec un tisonnier. Et je n'y suis pas allé de main morte.

Sharlee était stupéfaite d'horreur.

— Mais pourquoi ? Qu'avait-il fait pour que tu réagisses si violemment ?

Charles fronça les sourcils.

— Eh bien, je ne m'en souviens plus, mais je peux te garantir qu'il l'avait mérité. D'ailleurs, il mérite tout ce qui lui est arrivé de mal. Si tu savais de quelle manière ils m'ont traité, lui et cette femme qu'il a épousée. Et ce qu'elle lui a fait, elle aussi. Margie n'est pas un modèle de...

— Assez, papa, interrompit brusquement Alain. Ce n'est pas le moment de ressasser de vieilles histoires. Tu as dit que tu voulais rentrer à la maison, et je suis sûr que ta voiture t'attend.

— Mais si cette demoiselle veut parler, je peux lui raconter des choses...

— Non, tu ne peux pas.

Faisant ensuite signe au maître d'hôtel, Alain ordonna :

— Aidez-moi à amener mon père jusqu'à sa voiture.

— Mais Alain, gémit Charles. Je veux...

— Rentrer et te reposer. Tu sais que c'est ce qu'il y a de mieux à faire.

Sharlee regarda Alain entraîner le vieil homme dehors avec l'aide du maître d'hôtel. Les paroles de Charles se bousculaient dans son esprit. « Margie n'est pas un modèle de... » De quoi ? De vertu ? Pourtant, Margaret Lyon était irréprochable, et tout le monde le savait. Quelle raison secrète Charles avait-il donc de penser autrement ?

Alain, qui rentrait, s'arrêta en la voyant.

— Tu es encore ici ?

— Je pensais que nous pourrions peut-être... Je ne sais pas. Prendre un verre et parler un peu ?

— Je ne crois pas, Charlotte.

— Pourquoi ? Tu n'as pas l'air débordé à ce point.

— Il faut se méfier des apparences.

Comme des paroles…

— Tu as raison. Par exemple, j'ai eu l'impression que tu ne voulais pas qu'oncle Charles me parle de la famille. Ai-je tort ?

— Tu n'as tout de même pas cru à son histoire ? Ce n'était que le radotage d'un vieil homme.

— Il m'a semblé plutôt bien lucide.

— Comme si tu connaissais suffisamment la vie…

— Je sais quand quelqu'un me ment.

— Vraiment ? Dans ce cas, pourquoi n'es-tu pas juge ou flic au lieu d'être serveuse ?

La remarque piqua Sharlee au vif, et elle se sentit rougir sous le coup de la colère. Néanmoins, elle était déterminée à ne pas perdre son sang-froid.

— Puisque j'en déduis que je peux me fier à *tes* souvenirs, tu peux peut-être me parler des secrets de notre famille ?

— Pourquoi penses-tu qu'il y en aurait ?

Elle haussa les épaules.

— J'ai lu ce qu'a écrit Leslie sur les Lyon. Je ne peux pas croire qu'une famille ne compte aucune brebis galeuse — à part celle qui se trouve ici.

Charles se redressa de toute sa hauteur.

— Je te demande pardon ?

— Oh, dit-elle précipitamment. Je voulais parler de moi, pas de toi. Désolé si tu as cru… Tu as certainement des histoires à me raconter, oncle Charles.

Il haussa les épaules et lui adressa un regard tellement mauvais qu'elle sentit son sang se glacer et décida de quitter la place.

— Une dernière chose : est-ce Dev qui t'a prévenu de ma présence en ville ? Tu n'as pas semblé le moins du monde surpris quand tu m'as vue au Bayou Café, l'autre soir.

Avec un sourire fourbe, il répondit :

— J'ai de nombreuses sources d'information, tu sais. Allez, sauve-toi, et dis bonjour à mon fils pour moi.

— Et toi, transmets mon meilleur souvenir à ton père. Dis-lui que je l'appellerai bientôt pour convenir d'une visite.

Alain quitta ses airs supérieurs.

— Je ne crois pas qu'il soit en état de recevoir qui que ce soit.

— Mais il semblait…

— Peu importe ce qu'il semblait. Je suis son fils, et je sais ce qui est bon ou pas pour lui.

— Dans ce cas, tu pourras peut-être me renseigner. Ce n'est rien d'important, seulement quelques…

— Non, Charlotte. Je suis beaucoup trop occupé pour perdre du temps à bavarder.

Vraiment ? Tandis qu'elle marchait lentement et pensivement vers le Bayou Café, Sharlee se demanda pourquoi Alain lui mentait.

Car il lui mentait, c'était évident.

Et, pour l'instant, elle était impuissante devant un tel état de fait.

Gaby et Margie attendaient le retour de Paul. Il s'en doutait, mais n'était pas impatient de les retrouver. Il se sentait en effet las, trop las pour leur faire un récit détaillé du déjeuner. Mais quand il lut l'espoir et l'appréhension dans leurs regards, il ne trouva pas le courage de les décevoir.

Il les invita donc à le suivre dans son bureau, se préparant à assumer son rôle de patriarche de la famille.

Gaby ne lui laissa même pas le temps de rassembler ses esprits, et elle le pressa de questions :

— Comment va-t-elle ? J'ai trouvé qu'elle avait maigri quand je l'ai vue en juillet. Pas vous, Margaret ?

Sur un ton impatient, Paul répondit :

— Elle semble en parfaite santé. C'est une très jolie jeune femme. Seulement, c'est aussi une jeune femme perturbée.

— Perturbée ? répéta Gaby, angoissée. Je ne comprends pas. Que s'est-il passé ?

— Gaby, ma chérie, intervint Margaret en souriant à sa belle-fille. Laisse donc Paul nous expliquer.

— Oui, pardon. Mais je suis tellement inquiète pour elle.

Paul soupira et expliqua.

— Le problème ne vient pas de ce que nous lui avons dit, mais de ce que nous ne lui avons *pas* dit.

— Je ne comprends pas, répéta Gaby.

— Gabrielle, elle se sent comme une étrangère dans sa propre famille.

— Mais pourquoi ?

— A tort ou à raison, elle se sent exclue.

— C'est ridicule. Nous avons tout fait pour l'entourer, la faire participer...

— Elle a l'impression de ne pas être à la hauteur de vos attentes.

Margaret retint son souffle.

— Vraiment, Paul ? Elle est si belle, si intelligente. Je ne comprends pas.

— Moi non plus ! s'exclama Gaby, qui se leva d'un bond. Comment avons-nous pu lui donner une telle impression ? S'il y a bien une chose qui caractérise Charlotte depuis toujours, c'est sa confiance en elle.

— C'est toujours le cas, sauf par rapport à sa famille. Mets-toi à sa place, si tu le peux. Nous avons toujours essayé de la guider vers ce que nous pensions de bien pour elle, mais elle considère qu'il s'agit d'ingérence. Et si l'une de vous deux me dit que nous agissions uniquement pour son bien…, ajouta-t-il en lançant un regard noir aux deux femmes.

Comme elles restaient silencieuses, il reprit :

— Ensuite, on lui a caché les détails les plus sordides de l'histoire de la famille Lyon.

Il répugnait à déclencher les hostilités, mais il savait que c'était nécessaire pour le bien de tous.

— Tu devrais tout lui raconter, dit-il en adressant un regard sévère à Gaby. Et ensuite, tu devrais lui donner l'argent qui lui revient, pour en finir avec cette histoire.

Gaby arborait la même expression stupéfaite que si elle venait de recevoir une gifle.

— Alors c'est à cause de ça : l'argent ? Elle est revenue pour l'argent ?

— Non ! s'exclama Paul. Tu ne m'as pas écouté. Je ne sais pas vraiment pour quelle raison elle est rentrée, et je m'en moque. Elle est ici, mais si elle repart alors que la situation n'est pas réglée, je crains… je crains que…

Cherchant son souffle, il ne put terminer sa phrase.

Margaret se précipita vers lui.

— Paul, tu vas bien ? Veux-tu que j'appelle…

— Non, non, ça va, parvint-il à répondre.

Il aurait mieux fait de reporter la conversation, mais pour le bien de sa petite-fille, il était déterminé à continuer.

Gaby semblait complètement abattue.

— Je n'aime pas vous contredire, Paul, mais je ne peux pas tout révéler. Ce serait une erreur irréparable. Vous êtes d'accord avec moi, Margaret ?

Tournant son visage torturé par l'inquiétude vers sa belle-fille, elle répondit :

— Je n'en suis plus si certaine…

Gaby écarquilla les yeux. C'est Margaret qui lui avait appris à protéger la famille, et elle avait du mal à croire que son modèle puisse changer d'opinion après toutes ces années. Ensemble, elles avaient préservé le nom des Lyon et leur réputation envers et contre tout — même des dangers qui la menaçaient de l'intérieur. Combien de fois Paul avait-il entendu Gaby affirmer qu'il fallait maintenir Charlotte dans l'ignorance des secrets de famille, sous peine de la blesser ?

Jusqu'à aujourd'hui, il n'avait pas remis en question ce raisonnement — pourtant discutable — parce qu'il savait que seul l'amour l'inspirait.

— A quoi bon souiller le nom de notre famille ? reprit Gaby. Quant à l'argent de Charlotte… Je n'accepterai jamais de le lui donner tant que je n'aurai pas la certitude qu'elle est capable de le gérer raisonnablement. Paul, quand vous et Margaret avez ouvert ces comptes bloqués pour vos petits-enfants, vous nous avez chargé de leur gestion, et c'est à moi de décider.

— A toi et à André.

— Il sera d'accord avec moi.

Son inflexibilité agaça Paul. Il aimait et admirait sa belle-fille, mais il la trouvait aussi têtue que sa femme — et que sa petite-fille.

— Ce n'est que de l'argent, dit-il. Inutile d'en faire une affaire personnelle !

C'est alors qu'une citation de George Bernard Shaw lui revint en mémoire.

— Si vous ne pouvez vous débarrasser d'un squelette caché dans le placard de la famille, faites-le danser.

— Explique-toi plus clairement, Paul.

Comme il souhaitait ménager Margie, il prit le temps de peser ses mots.

— Gaby et toi avez très bien réussi à garder les squelettes enfermés à double tour dans les placards de la famille Lyon. Mais le temps a passé, mesdames. Si nous ne libérons pas ces squelettes, j'ai le pressentiment que nous pourrions le regretter rapidement, et jusqu'à la fin de nos jours.

Son regard plongea dans celui de la femme qu'il aimait depuis tant d'années.

— Oui, Margie, dit-il à voix basse pour qu'elle seule puisse entendre. Même *ton* secret.

D'une voix plus forte, il ajouta :

— J'ai dit ce que j'avais à dire. Maintenant, si vous voulez bien m'excuser, je pense que je vais m'allonger sur mon canapé et me reposer quelques minutes.

— Tu es sûr que cela va aller ? Je pourrais…

— Margie, je t'aime, mais tu t'inquiètes trop. Va.

10.

Sharlee n'avait pas eu trop de mal à se convaincre d'accompagner Dev au *fais dodo* des Achord tant que la date paraissait encore éloignée. Le jour même, en revanche, un dimanche après-midi ensoleillé, elle dut faire appel à tout son courage pour monter dans le cabriolet Mercedes jaune pâle de Dev et quitter le Vieux Carré.

Elle était allée seulement une fois à Bayou Sans Fin, et cette visite avait changé sa vie. Pour Dev, il s'agissait sans doute de l'endroit où avait habité sa mère, rien de plus.

Il se tourna vers elle comme ils roulaient en direction du nord-ouest sur l'autoroute 10.

— Je n'ai pas eu l'occasion de te demander comment s'était passé ton déjeuner avec ton grand-père.

— Bien, se contenta-t-elle de répondre, trop tendue pour entretenir la conversation.

L'avantage avec Dev, c'était qu'il comprenait rapidement. Il ne prononça plus un mot jusqu'à ce qu'il se gare sur un parking le long de la route, à côté du Bertie's Café où la petite fête battait déjà son plein. Coupant le moteur, il fixa Sharlee avec un regard impénétrable. Des notes de *zydeco*, cette musique louisianaise proche du blues, et les cris de joie des danseurs et des autres invités parvenaient jusqu'à la voiture.

— Ne sois pas comme ça, dit-il.

— Comment, comme ça ?

— Comme ça. C'est une fête entre amis. Ne la gâche pas.

— Je n'ai jamais gâché aucune fête de ma vie.

— Bien, parce que...

— Salut, cousin ! s'exclama Beau Achord, en frappant à la vitre de Dev avec un large sourire. Vous allez passer la journée dans la voiture ou vous nous rejoignez ?

Ouvrant sa portière, Dev répondit :

— Montre-nous le chemin, Beau.

Beau fit le tour de la voiture pour aider Sharlee à sortir.

— Voilà donc la petite Charlotte. Suis-moi, je vais te présenter, dit-il en lui adressant un regard approbateur.

Sharlee le suivit jusqu'à la scène de fortune dressée le long du café. Une allée menait jusqu'à un ponton de bois auquel étaient amarrées plusieurs barques à fond plat.

Beau les guida à l'intérieur du petit café, et directement vers une table où une dame âgée d'au moins quatre-vingts ans semblait trôner au milieu de sa cour.

— Il faut absolument que je te présente à ma grand-mère, sinon elle me jettera en pâture aux alligators, expliqua Beau, suffisamment fort pour que sa grand-mère entende. Grand-mère, je te présente Charlotte. Charlotte, voici ma grand-mère, Riva Bechet.

— Comment allez-vous ? demanda Sharlee, impressionnée par le port altier de la vieille dame ainsi que par l'élégance de sa somptueuse robe mauve.

— Charlotte comment ? demanda la vieille dame avec un regard malicieux. Beau, comment fais-tu pour me ramener toutes ces petites amies, espèce de polisson.

— C'est la petite amie de Dev. Tu te souviens de Dev Oliver ? Le fils d'Yvette LeBlanc.

Un sourire sincère éclaira le visage ridé de Riva.

— Où te cachais-tu, mon garçon ? Je ne me souviens pas

de t'avoir vu ici depuis le décès de ta mère. Embrasse-moi, ajouta-t-elle en montrant sa joue.

Dev s'exécuta.

— J'ai été occupé, madame. Vous me pardonnez ?

— Evidemment ! Dis-moi plutôt qui est cette beauté que tu as amenée à ma petite fête ?

Dev noua ses doigts à ceux de Sharlee.

— C'est mon amie, Charlotte Lyon.

La vieille dame haussa les sourcils. Pendant un moment, elle sembla interdite, puis elle afficha une expression proche de la panique.

Sharlee lui adressa un sourire incertain.

— Mon nom vous dit quelque chose, parce que vous avez certainement entendu parler de mon grand-père, Paul.

— Votre père est… ?

— André Lyon.

Ne comprenant pas, Sharlee lança un coup d'œil à Dev, dont le haussement de sourcils indiquait qu'il ne comprenait pas plus qu'elle la réaction de Riva.

Beau posa alors une main sur l'épaule de Sharlee et l'autre sur celle de Dev.

— Ma grand-mère travaillait pour Lyon Broadcasting à une époque, expliqua-t-il. Elle connaissait tous les Lyon.

— Ne raconte donc pas n'importe quoi ! protesta Riva, en donnant un coup de pied à son petit-fils. Je ne connais pas grand-chose sur les Lyon. Mais vous êtes la bienvenue, ajouta-t-elle avec un regard presque attendri à Sharlee. Maintenant, jeunes gens, laissez-moi. Je me sens lasse.

Décontenancée, Sharlee suivit Beau dehors.

Ils firent une pause sous le porche, et Dev demanda :

— Que se passe-t-il, Beau ?

Celui-ci haussa les épaules.

— Elle vieillit, c'est tout. Elle est partie à la ville quand elle était jeune. Elle a trouvé du travail à la station de radio des Lyon, et elle a beaucoup aimé. Ensuite, elle est rentrée et s'est mariée.

Beau se tourna vers l'orchestre, composé d'un violon, d'une guitare électrique, d'un triangle, d'un accordéon et d'une planche à laver. Comme s'il ne pouvait résister au rythme de la musique, il battait la mesure avec le pied.

— Au fait, Dev, avant que j'oublie : quelqu'un a pénétré dans la maison de ta mère, l'autre jour. Comme rien ne manquait, nous n'avons pas prévenu la police, mais tu devrais peut-être y jeter un coup d'œil.

— D'accord, dit Dev en sortant les clés de la voiture de sa poche. Je vais y aller tout de suite. J'ai signé la promesse de vente et, si quoi que ce soit est abîmé, cela pourrait poser des problèmes.

Se tournant vers Sharlee, il ajouta :

— Je ne devrais pas en avoir pour longtemps. Je suis sûr que Beau saura s'occuper de toi le temps que je revienne.

— Je t'accompagne, dit-elle.

Pour une raison inexplicable, elle ne se sentait pas bien dans cet endroit. Quelque chose chez la vieille dame l'avait mise mal à l'aise.

Une nouvelle fois, ils roulèrent en silence. De plus en plus nerveuse, Sharlee regardait par la vitre, essayant de ne sentir que le vent dans ses cheveux et la chaleur du soleil. Finalement, elle dit :

— Je ne savais pas que tu avais passé autant de temps dans le bayou, Dev. Tu sembles vraiment chez toi, ici.

— C'est ma vie secrète, expliqua-t-il un lui adressant un regard prudent. Je n'en parlais pas quand j'étais plus jeune. Cela rendait Alain fou de rage que je rende visite à ma mère, et quand Alain est en colère…

Elle frémit, car elle n'imaginait que trop bien.

— Mais en quoi cela le regardait-il ?

— Tu plaisantes ?

Dev tourna dans un chemin cabossé, qui semblait de plus en plus envahi par les arbres, la vigne vierge et les ronces, à mesure qu'ils avançaient. Il ralentit, pour ne pas abîmer la Mercedes.

— Pourquoi plaisanterais-je ?

— En fait, poursuivit-elle, songeuse, je ne sais pas grand-chose au sujet de ta mère, sinon qu'elle était cajun et très belle. Je ne me souviens pas vraiment d'elle non plus parce que j'avais seulement environ cinq ans quand elle est partie. Après, on aurait dit qu'elle n'avait jamais existé. Plus personne ne parlait d'elle, même pas toi.

— Parce qu'Alain en avait décidé ainsi, expliqua-t-il avec une moue amère.

— Je pensais… Dev, puis-je être honnête ?

— Quelque chose me dit que je devrais te répondre que non, mais je te dis néanmoins oui.

— Je pensais que personne ne parlait jamais d'elle parce qu'elle avait commis l'impensable : abandonner ses enfants.

— Elle ne les a pas abandonnés, ils étaient… Je n'ai pas envie de parler de cette histoire, mais sache une chose : c'est Alain qui a gâché la vie de ma mère, pas l'inverse.

— Mais tu habitais avec lui et pas avec elle. Pourquoi ? Si tu avais ce sentiment, pourquoi…

— Assez, Sharlee, coupa-t-il sur un ton abrupt. Aucun Lyon n'a jamais compris, à part….

— Qui ? demanda Sharlee, qui ne voulait pas laisser le sujet en suspense. Je sais : grand-mère ! Margaret, reprit-elle en claquant des doigts. C'est pour cela que tu es à sa botte, maintenant, n'est-ce pas ?

— Quelle arrogance, je n'y crois pas ! Tu n'es pas journaliste pour rien ! Il faut que tu fouilles pour être heureuse !

— Ne sois pas injuste. Dev, je me souviens de t'avoir questionné au sujet de ta mère une seule fois auparavant.

Il lui décocha un coup d'œil presque hostile.

— Je ne voulais pas parler d'elle autrefois et je ne veux pas parler d'elle aujourd'hui. De toute manière, c'est de l'histoire ancienne.

Elle lui adressa une grimace.

— Soit, mais j'ai l'impression qu'il y a encore des secrets de famille là-dessous. Pourquoi refuses-tu de m'en parler ?

— Ce ne serait plus un secret, si je t'en parlais.

La route qu'ils suivaient se termina, et il s'engagea lentement dans une clairière au fond de laquelle se trouvait une petite maison, construite au bord de l'eau. Peinte en bleu clair, elle avait un toit pentu, un porche et une grille en fer forgé.

Sharlee l'avait déjà vue, et elle sentit son sang se glacer. Comment avait-elle pu croire qu'elle serait capable de revenir ici sans être submergée par les souvenirs ?

Sharlee ne suivit pas Dev à l'intérieur, car elle ne s'en sentait pas capable. Pendant qu'il se dirigeait vers la porte d'entrée, elle préféra contourner la maison et marcher vers le ponton qui s'avançait dans l'eau.

La végétation, dense et menaçante, poussait les pieds dans l'eau. Au loin se tenait une aigrette, un faucon s'élançait vers le ciel. Un frémissement dans l'eau attira son attention. Elle vit passer à toute allure un petit animal de couleur foncée. Elle frissonna.

Elle ne pourrait jamais vivre ici, et elle aurait dû se douter combien ce serait difficile de revenir.

Le temps passait, et Dev tardait à ressortir de la maison. Incommodée par la chaleur, Sharlee chercha où se réfugier.

Elle regarda autour d'elle, remarqua un chêne sous lequel il y avait une chaise longue.

Elle s'assit prudemment sur la toile poussiéreuse, s'attendant presque qu'elle cède sous son poids. La chaise gémit, mais résista. Sharlee fixa au-dessus d'elle la dentelle de lumière et d'ombre filtrant à travers les feuilles et la mousse espagnole.

Trop lumineux. Elle laissa ses yeux se fermer. Le bourdonnement des insectes emplit ses oreilles et elle se décontracta. La dernière fois qu'elle était venue ici, elle n'avait rien remarqué, si ce n'est que Dev et elle étaient complètement seuls, et finalement dans un endroit suffisamment sûr pour qu'ils fassent ce qu'ils brûlaient de faire ensemble.

Il l'avait déshabillée doucement, comme s'il craignait de lui faire mal ou de la casser. Mais elle n'était pas fragile et elle brûlait de sentir sa peau contre la sienne, tremblait d'impatience. Il n'avait cessé de lui demander si elle était sûre d'elle : « Tu crois que je t'aurais suivi jusqu'ici, sinon ? », avait-elle répondu.

Il avait pris son temps. Avec une telle langueur qu'elle avait bien cru ne pas survivre.

Un gémissement lui échappa. A ce moment, elle sentit une légère caresse sur son bras, puis une voix murmura :

— Sharlee ? Tu vas bien ? Réveille-toi, ma douce.

Soulever ses paupières demanda à Sharlee un effort. La chaleur tournait autour d'elle en vagues et les insectes bourdonnaient toujours, mais elle ne vit que Dev, agenouillé à côté d'elle.

— J'en ai eu pour plus longtemps que je ne pensais.

La langueur ne voulait pas se dissiper complètement, et Sharlee avait du mal à recouvrer ses esprits.

— J'ignore ce qui ne va pas chez moi, murmura-t-elle à son tour. Il faisait si chaud…

Puis, se rappelant la raison de leur excursion dans le bayou :

— Rien à signaler, dans la maison ?

— *A priori*, non. A mon avis, il s'agissait seulement d'une personne de passage, qui avait besoin d'un abri pour une nuit ou deux.

— Bien. Dans ce cas, tu es prêt à repartir ?

— Rien ne nous presse, et tu n'es pas encore tout à fait réveillée.

Inclinant sa tête de côté, il ajouta :

— Etais-tu en train de rêver ? Tu as soupiré…

— Par pitié, ne me dis pas que tu me regardais dormir.

— Si, j'avoue, répondit-il avec un sourire particulièrement séduisant. Tu semblais si paisible.

Sharlee ressentit une impression étrange de savoir qu'il l'avait vue alors qu'elle était aussi vulnérable. Elle ouvrit la bouche pour le réprimander, mais elle s'en sentit incapable.

— Sharlee, dit-il en se rapprochant. J'espère que tu n'avais pas de pensées tristes… Concernant ce qui s'est passé ici, je veux dire. Tu sais ?

— Je sais.

— Lorsque nous sommes venus, je voulais vraiment que tu rencontres ma mère.

— Seulement, elle n'était pas là.

— Non, elle était à l'hôpital, mais je l'ignorais.

— Et nous nous sommes retrouvés seuls. Deux adolescents…

Elle se refusa à utiliser l'adjectif « amoureux ».

— Mes souvenirs de ce jour-là sont uniques, dit-il d'une voix douce et convaincante en prenant la main de Sharlee. Je tenais à toi… beaucoup.

— Moi aussi je tenais à toi, avoua-t-elle malgré elle. Faire l'amour avec toi a été la chose la plus merveilleuse qui me soit arrivée. Même aujourd'hui, je ne le regrette pas.

— Alors pourquoi te montrer si hostile ?

Elle s'assit et passa ses jambes par-dessus la chaise, cognant Dev avec ses genoux.

— C'est à cause de ce qui est arrivé par la suite. L'émoi dans la famille, la déception de mes parents, les menaces, les punitions…

— Je regrette de ne pas avoir pu t'épargner cela.

— Tu ne le pouvais pas. Personne ne le pouvait. Dev, c'était complètement fou : ils ignoraient que nous étions devenus amants, mais on aurait pourtant dit que le ciel leur était tombé sur la tête.

Elle le regarda au travers des sanglots qui lui brûlaient les yeux.

— Mais je pouvais tout supporter tant que je savais que nous étions ensemble. C'est alors que j'ai reçu ta lettre.

— Cette maudite lettre…, soupira-t-il en posant ses deux mains sur les genoux de Sharlee.

Il plongea son regard dans le sien, ses yeux aussi sombres que l'eau qui clapotait le long du ponton.

— Cette maudite trahison.

Elle baissa le regard vers les mains de Dev, fortes et autoritaires, et elle éprouva soudain le désir malsain de se pencher vers lui, de passer ses bras autour de son cou et de se laisser aller à toutes les émotions et les sensations qui se bousculaient en elle.

Cette fois, pourtant, il ne s'agirait pas d'amour, mais de revanche.

— Sharlee, dit-il enfin, nous ne pouvons pas recommencer.

— Recommencer ?

— Avoir une relation, ou du moins une relation plus intime

que maintenant. Il est évident que nous sommes toujours attirés l'un par l'autre, mais à quoi bon ? Toi tu repartiras, et moi je resterai…

Toute trace de sommeil s'était maintenant évanouie. Elle le regarda, ses cheveux bruns et son regard de braise, sa bouche pleine, ses joues hâlées, et elle dut mettre ses mains entre ses cuisses pour s'empêcher de le toucher. Malgré tout, elle réussit à dire calmement :

— J'ai l'impression que tu essaies de me dire quelque chose, Dev.

Il prit une profonde inspiration.

— Oui. Que nous devons cesser ce petit jeu. Ce qui est arrivé après l'ouverture du restaurant… C'était un sérieux manque de jugeotte de notre part.

Enfin, elle comprit parfaitement : il essayait une nouvelle fois de la quitter, et cette fois avant même qu'ils aient fait l'amour. Elle se sentit bouillir, mais elle se força à lui sourire.

— As-tu peur que je te saute dessus sous un chêne, chez ta mère ?

— Tu sais bien que ce n'est pas ce que je voulais dire, répondit-il, l'air embarrassé.

Le sourire de Sharlee s'élargit. Ouvrant les bras, elle bâilla et s'étira, ne sachant que trop bien que le mouvement tendrait le coton de sa robe sur sa poitrine.

— D'accord, Dev, dit-elle joyeusement. Si c'est ce que tu veux.

— Ce n'est *pas* ce que je veux, c'est ce que…

— Bien sûr.

Puis elle se leva et le regarda.

— Je pense que nous nous comprenons. Prêt ?

*
* *

Felix hésita, tenant dans ses bras l'énorme marmite qui avait contenu le jambalaya.

— Alors, comment était la nourriture ? demanda-t-il, impatient de connaître la réponse.

Sharlee soupira. C'était lundi soir, l'heure de fermeture du Bayou Café, et elle n'avait pas très envie de repenser aux aventures de la veille.

— Bien, répondit-elle évasivement. En fait, je n'ai pas beaucoup mangé. Quand nous sommes revenus de la maison de la mère de Dev, il ne restait plus grand-chose.

Compatissant, il hocha la tête.

— Dommage. Certaines de ces cuisinières du bayou sont excellentes. J'aurais bien aimé vous accompagner, mais j'avais du travail dans ma propre cuisine.

— Tu nous as manqué, dit-elle avec sincérité. Est-ce que je peux te faire quelque chose d'autre ?

— Non, je pense que c'est bon. Tu as l'air pressée. Un rendez-vous ?

— Non, mais je me sens... Je ne sais pas. Agitée, peut-être.

— Oui, c'est le moins que l'on puisse dire, fit remarquer Felix avec un sourire.

Elle s'efforça de lui sourire en retour, puis dit :

— Puisque tu n'as pas besoin de moi, je monte.

— D'accord. A plus tard, Sharlee.

Mais le fait de se trouver dans l'appartement ne changea rien. Sortant sur le balcon surplombant la rue, elle prit de profondes inspirations tout en écoutant les bruits nocturnes montant du Vieux Carré : des bribes de conversation en anglais et en français, des rires coquins, les notes plaintives d'un saxophone.

Si elle ne sortait pas rapidement, elle allait devenir folle ! Depuis leur excursion à Bayou Sans Fin, elle se sentait les nerfs à fleur de peau alors que Dev se comportait comme si de rien n'était.

N'y tenant plus, elle rentra juste le temps d'attraper son sac et elle descendit. Depuis la cuisine, Felix demanda :

— Hé, où cours-tu ainsi ?

— Bourbon Street ! cria-t-elle en retour. J'ai besoin d'écouter un peu de musique.

— Fais attention. Il n'y a pas que les musiciens qui fréquentent cette rue.

Elle haussa les épaules et sortit en refermant la porte à clé derrière elle. Elle était une grande fille, et elle saurait se montrer prudente.

Sharlee se promena dans Bourbon Street, observant les passants qui se pressaient autour d'elle. Elle était rarement venue dans cet endroit — suffisamment toutefois pour inquiéter ses parents — mais elle l'avait toujours trouvé plus ou moins sordide et vulgaire. Pourtant, ce soir, elle s'y plut.

Passant devant les clubs de jazz, les bars à strip-tease, les clubs gays et les bars à karaoké, elle observa les gens qui l'entouraient avec une nouvelle curiosité. Au coin de Bourbon Street et Orleans Street, un homme et une femme se disputaient violemment. Soudain, il l'attrapa par les cheveux, la plaqua contre lui et l'embrassa.

Quelques jeunes éméchés — probablement des étudiants — applaudirent. Le couple repartit bras dessus, bras dessous, et les jeunes se retournèrent pour redresser un de leurs camarades, trop saoul pour tenir assis, même appuyé contre le mur.

Sharlee esquiva encore quelques touristes, puis elle hésita. On entendait partout de la musique : jazz, *zydeco*, rock and roll… C'est alors qu'elle fut attirée par des notes de jazz qui sortaient d'un bar face à elle, et elle comprit pourquoi.

Crystal Jardin, qui jouait du saxophone, vivait à Lyoncrest depuis des années, et elle était sans doute maintenant plus intégrée à la famille que Sharlee. La dernière fois que Sharlee avait entendu parler de Crystal, aujourd'hui âgée d'une trentaine d'années, celle-ci travaillait au service comptabilité de WDIX. Sa grand-mère Justine était la sœur de Paul et Charles, et Margaret avait pris Crystal sous son aile et sous son toit.

Sharlee hésita tout en se laissant envahir par la musique. Le petit orchestre était bon, mais Crystal était sans conteste la meilleure. Les yeux fermés, sa longue tresse balayant son dos, elle paraissait complètement habitée par la musique et par les sons qui s'échappaient de son saxophone.

Légèrement jalouse, Sharlee se dit que ce devait être formidable de s'adonner à une passion au point d'en oublier le reste du monde.

Devait-elle rester et saluer la musicienne ou bien passer son chemin ? La réponse était facile, bien qu'elle aimât beaucoup sa cousine. Les premières paroles de Crystal, après lui avoir dit bonjour, seraient certainement pour lui demander quand elle comptait revenir à Lyoncrest.

Alors, Sharlee reprit son chemin, presque sûre que Crystal ne l'avait pas vue.

Dev arriva au club de jazz au moment où l'orchestre quittait la scène pour faire une pause. Il jeta un coup d'œil circulaire et ne vit pas Sharlee, mais Crystal l'avait peut-être aperçue.

Celle-ci le vit s'avancer.

— Salut, Dev ! Cela fait une éternité que je ne t'avais pas vu dans Bourbon Street.

— Oui, je sais, Crystal. J'ai été très occupé ces derniers temps.

— Il paraît. WDIX n'est plus pareille sans toi. Mais je te souhaite malgré tout bonne chance pour ton restaurant.

— Merci. En fait, je suis à la recherche d'une personne et tu l'as peut-être vue.

— Une femme, j'imagine ? demanda Crystal en haussant un sourcil.

— Une femme, en effet. Charlotte Lyon. Elle n'est pas venue ici, par hasard ?

Crystal écarquilla les yeux.

— Alors c'était bien Charlotte ?

— Tu l'as vue ?

Elle hocha la tête.

— Il y a environ un quart d'heure. Elle est entrée et est restée un petit moment près de la porte. J'ai cru que j'avais des visions. Comme elle n'est pas restée pour me dire bonjour, j'ai pensé que ce ne devait pas être elle. J'ai entendu dire qu'elle vit avec toi…

— Elle ne vit pas avec moi, corrigea-t-il. Nous sommes seulement trois colocataires de l'appartement au-dessus du restaurant.

— Un ménage à trois ? dit-elle avec un sourire malicieux. Enfin, Devin Oliver…

— D'accord, d'accord, répondit Dev l'air penaud. Ris, si tu veux. C'est seulement que je ne voudrais que ce genre d'histoire se propage.

— Trop tard !

— Je suppose que tu ignores dans quelle direction elle est partie ?

— Eh bien tu supposes mal. La porte était ouverte en grand, et j'ai pu voir qu'elle avait tourné à gauche en sortant.

Avec un froncement de sourcils, Crystal ajouta :

— J'espère que tu vas pouvoir la retrouver, parce que ce n'est pas une bonne idée pour une femme seule de se promener dans Bourbon Street à cette heure-ci.

— Entièrement d'accord. Merci, Crystal.

— De rien, Dev. Dis-lui que je serais heureuse de la revoir.

— Pas de problème, mais je compte sur ta discrétion. Elle préfère se tenir à l'écart de la famille pour l'instant.

— Mais pas à l'écart de toi, semble-t-il.

Puis Crystal lui dit au revoir de la main et se retourna.

Se faufilant entre les tables occupées par des amoureux de musique, Dev quitta le club et se retrouva sur le trottoir. Quand il était revenu au Bayou Café et que Felix lui avait dit où Sharlee était partie, il avait manqué faire une attaque. Mais il avait trouvé sa piste, et une fois qu'il l'aurait rattrapée…

Sharlee était assise dans un bar bruyant, et elle sirotait un Martini tout en battant la mesure du pied tandis qu'un orchestre de *zydeco* se produisait sur une scène, à l'autre bout de la salle. Jeunes et enthousiastes, les musiciens semblaient galvanisés par les applaudissements des spectateurs.

Quelqu'un lui tapa sur l'épaule et elle se retourna. Un type âgé d'une trentaine d'années lui sourit et demanda en criant pour couvrir le bruit :

— Je peux vous offrir un verre ?

— Non, merci, répondit-elle avant de se retourner vers la scène.

— Es-ce que je peux vous inviter à danser ? insista-t-il, en montrant du doigt la piste de danse, grande comme un timbre-poste.

— Non, merci.

— Dans ce cas, que diriez-vous de…

Mais il semblait à court d'idées car il laissa sa phrase en suspens — ce qui ne chagrina pas Sharlee outre mesure, car elle ne cessait de repousser les avances depuis son arrivée dans cet endroit.

L'orchestre termina son morceau et fut salué par un tonnerre d'applaudissements. Elle se dit qu'il était temps de partir. Elle continuerait sa promenade dans la rue jusqu'à ce qu'elle trouve…

— Bon orchestre, non ? demande l'homme qui se trouvait à côté d'elle.

Celui-ci paraissait plus jeune que l'autre, certainement de l'âge de Sharlee.

— Oui, dit-elle en reposant son verre, mais sans le regarder.

— Puis-je vous offrir un autre verre ?

— Non.

— D'accord, je demandais juste. Au fait, vous êtes étudiante à l'université ?

— Non, se contenta-t-elle de répondre.

Les clients commençaient à se presser vers la sortie, et elle ferait mieux de les laisser sortir avant de sortir à son tour.

— J'ai vu le barman vérifier votre carte d'identité.

— Il fait sombre ici, dit-elle en se levant.

Mais avant qu'elle n'ait pu partir, l'importun la saisit par le poignet.

— Vous êtes sûre de ne pas vouloir…

C'est alors qu'une main agrippa le poignet de l'homme. Il la relâcha.

— Elle en est sûre, affirma Dev.

11.

Sharlee et Dev se faisaient face sur le trottoir, devant le club, et ils se disputaient, n'attirant que de rares regards curieux de la part des passants. Personne ne semblait croire que l'altercation risquait de dégénérer ni qu'il fallait appeler la police.

— Tu n'as aucun droit de te mêler de ma vie !

— Non ? Et comment comptais-tu te défaire de ce type ? Par une prise de karaté ?

— J'aurais très bien pu m'en sortir sans ton intervention !

— Mais oui, mais oui. Tu te trouves de toute évidence dans ton élément, à boire seule au bar de l'une des rues les plus mal famées du pays. Si je ne t'avais suivie…

Alors qu'il continuait de la réprimander, elle sentit la fureur l'envahir, une fureur qu'elle pensait avoir domptée depuis longtemps. Elle lui montrerait ! Elle tourna les talons, le plantant là au beau milieu d'une phrase.

— Où comptes-tu aller comme ça ? demanda-t-il en la rattrapant et en se postant devant elle.

— Dans le bar le plus proche pour boire un verre.

— Mais bon sang, Sharlee, tu…

— J'ai l'âge ! Et maintenant, laisse-moi passer ou j'appelle la police.

Il s'écarta et, comme elle l'avait annoncé, entra dans le bar le plus proche où elle s'assit sur le premier tabouret qu'elle trouva.

— Et pour madame, ce sera ?

Surprise, Sharlee eut l'impression de connaître le barman.

— Un Martini.

L'homme, âgé d'une trentaine d'années, et blond aux yeux bleus, haussa les sourcils.

— Je ferais sans doute mieux de vérifier votre carte d'identité, dans ce cas. Les Martini ne sont pas pour les amateurs.

Ouvrant son sac à main, elle sortit son permis de conduire du Colorado, avec cette affreuse photographie sur laquelle elle semblait loucher.

— Vous savez, les jeunes adorent le Martini, dit-elle. Du moins, dans le Colorado.

— Oui, madame, répondit-il en lui adressant un regard étrange.

Puis il se tourna pour préparer la boisson. Au moment où il la servit, elle l'avait remis.

— Je sais où je vous ai vu ! Le cinquantenaire de WDIX-TV, c'est là !

— Oui, madame, confirma le barman, qui semblait heureux qu'elle se souvienne de lui. Moi aussi je vous y ai vue, ajouta-t-il en lui tendant la main. Sean McKenna. Mon grand-père Patrick a été chauffeur chez les Lyon dans les années quarante et cinquante.

— Vraiment ? Le monde est petit.

— Vous êtes sûre que vous allez supporter ça ? demanda-t-il en montrant le verre de Martini.

— Sûre. Je prendrai mon temps. Ce n'est que le deuxième de la soirée, et ce sera mon dernier.

Il sembla soulagé.

— Le deuxième ? Vous devez certainement mieux supporter l'alcool que votre grand-père.

— Mon grand-père ? répéta Sharlee en écarquillant les yeux. Que...

— Barman ! Est-ce que je peux boire, oui ou non ?

Désolé, il s'éloigna, alors qu'elle le suivait d'un regard interrogateur. Et qu'elle réfléchissait : grand-père ne supportait pas l'alcool ? Etrange...

Dev s'assit à côté d'elle au moment où Sean revenait.

— Je vais prendre la même chose que la dame.

Pendant que Sean préparait la boisson, Sharlee attendit avec impatience. Même la présence de Dev ne parvenait pas à calmer sa curiosité.

Une fois Dev servi, elle se pencha impatiemment vers Sean.

— Pourquoi avez-vous dit cela au sujet de mon grand-père ? Je veux dire, qu'il ne supportait pas l'alcool.

Elle sentit Dev se raidir, mais elle l'ignora.

— Je refuse de faire des commérages sur un homme admirable, répondit Sean, en nettoyant le bar avec un chiffon humide.

— Je pense, moi aussi, qu'il est un homme admirable. Je suis de son côté, Sean. Par ailleurs, si c'est la vérité, il ne peut s'agir de commérages, ajouta-t-elle avec un sourire charmeur.

— Oui, sans doute.... De toute manière, c'est arrivé il y a longtemps, et il y a prescription. Mon grand-père racontait qu'il avait connu M. Paul à son retour de la guerre, et qu'il ne tenait pas du tout l'alcool. C'est pourquoi il a décidé assez jeune de ne plus boire une seule goutte.

Etait-il sérieux ? se demanda Sharlee en fronçant les sourcils, et faisant appel à ses souvenirs. Son grand-père, boire de l'eau, alors que les autres buvaient du vin ? Non, impossible. Elle l'avait vu de ses yeux porter des toasts avec du champagne. Toutefois, maintenant qu'elle y repensait, elle ne l'avait jamais vu boire le champagne ensuite…

Et quand il n'avait pas voulu prendre du vin l'autre jour, alors qu'ils déjeunaient ensemble, elle avait cru que c'était à cause de son âge et de sa santé fragile. Pourquoi n'y avait-elle pas prêté plus d'attention au cours des ans ?

— Qu'est-ce que votre grand-père a raconté d'autre ? insista-t-elle.

— Que M. Paul était peut-être né riche, mais qu'il avait des problèmes comme n'importe qui. Que c'était un grand homme, certainement l'un des meilleurs de Louisiane. Mon grand-père était fier de ses années passées au service des Lyon.

Sean lui adressa ensuite un petit salut, et il partit s'occuper d'autres clients. Sharlee resta silencieuse. Elle venait juste d'apprendre, de la part d'un étranger, un des secrets de sa famille. Pas un gros secret, mais qui pouvait la conduire sur la piste d'autres secrets. Que lui avait dit grand-père ? « Cela t'intéresserait-il de savoir qu'il m'est arrivé de ne pas être à la hauteur ? »

Elle se tourna vers Dev et, à son expression, devina.

— Tu savais.

Baissant les yeux vers son Martini, il avoua.

— J'ai… peut-être entendu quelque chose à ce sujet.

— Pourquoi garder le secret ?

— Pourquoi ? Ce n'est pas d'une importance primordiale, Sharlee. Quelle que soit la raison qui ait incité ton grand-père à ne plus boire d'alcool, cela remonte à des années. Pourquoi sembles-tu si déterminée à découvrir qu'il a des faiblesses ?

— Je veux juste savoir qu'il est humain, et non pas une sorte d'icône que je ne pourrai jamais égaler.

Elle fut parcourue d'un frisson d'excitation et reprit :

— Lui et grand-mère se sont mariés peu de temps avant qu'il ne parte pour la guerre en tant que correspondant. A son retour, il était peut-être… différent.

— Ce ne serait pas étonnant.

— Oui, mais différent en quoi ? Le problème, c'est que je suis incapable de l'imaginer autrement que vieux. Je sais qu'il aime grand-mère, mais je n'arrive pas à les imaginer jeunes, fougueux, et… fous l'un de l'autre. Je me demande…

— Pourquoi ne leur poses-tu pas simplement la question ?

— J'ai essayé, de nombreuses fois. Pas sur ce sujet particulier, mais « parlez-moi de votre jeunesse ». La seule réponse que j'aie obtenue, c'est que grand-mère me chante une chanson de l'époque et esquisse quelques pas de danse. Maman et elle veillent sur l'honneur de la famille comme de véritables cerbères.

Pendant un moment, Dev se contenta de la regarder. Puis il hocha la tête d'un air las.

— Sharlee, parfois… la plupart du temps, en fait, je ne te comprends pas du tout. Beaucoup de personnes seraient désolées d'apprendre qu'un de leurs proches a eu un problème avec l'alcool à une époque. Alors que toi, on dirait que tu as découvert ta parenté avec un membre de la famille royale.

— Ça, je le savais déjà, dit-elle sur un ton léger. En revanche, je viens d'apprendre que grand-père a été jeune, qu'il avait une vie et qu'il lui ait arrivé de se tromper. Comme moi, ajouta-t-elle avec un sourire.

— Soit. Je suppose que je dois être content, si tu l'es, dit-il avant de vider son verre de Martini. Et que dirais-tu de rentrer à l'appartement ? Je suis fatigué, et j'aimerais beaucoup dormir un peu sans avoir à m'inquiéter pour toi.

— Tu t'inquiéterais pour la petite Sharlee ? demanda-t-elle

en glissant de son tabouret et en posant un billet sur le bar. Merci, Sean !

— Merci à vous. Mes amitiés à votre grand-père.

Elle se tourna vers Dev, toujours assis sur son tabouret à la regarder, et se demanda alors : « Est-ce que ce sera pour cette nuit ? » Elle était trop absorbée par Bourbon Street, par les révélations de Sean, par le fait de se trouver là avec Dev pour ne pas se poser la question.

— Alors ? demanda-t-elle en haussant les sourcils.

— J'arrive, dit-il en se levant, comme s'il attendait un signe de sa part.

Souriante, elle passa un bras sous le bras de Dev et s'appuya contre lui comme s'ils formaient un couple. Il lui adressa un regard surpris avant de l'entraîner vers la porte et dans la folie de Bourbon Street.

Dev eut l'impression que l'humidité était encore plus étouffante qu'un peu plus tôt. C'était peut-être simplement la présence de Sharlee qui suffisait à lui faire bouillir le sang, et il ne savait pas si elle le faisait exprès ou non.

Peu importe... Elle l'excitait tellement qu'il trouvait de plus en plus difficile de contrôler les réactions de son corps. Il se répéta alors qu'il ne voulait pas s'impliquer plus avec elle qu'il ne l'était déjà. Leurs vies étaient suffisamment compliquées, et leur passé commun trop lourd et douloureux.

Charlotte Lyon était une femme exigeante. S'ils couchaient ensemble maintenant, cela ne ferait que compliquer les choses quand elle partirait — ce qui ne tarderait certainement pas à arriver. Il la sentait en effet chaque jour plus impatiente et désireuse de partir. Un matin, elle se lèverait et lui annoncerait son départ. Elle sortirait de sa vie. Et cette fois, rien ni personne ne pourrait la faire revenir.

Alors, il allait respecter ses résolutions, décida-t-il courageusement comme ils entraient dans le café par la porte de derrière. Ce qu'il lui avait dit au bayou était toujours d'actualité : il se refusait à avoir une liaison avec elle.

Ils montèrent doucement les marches jusqu'à l'appartement. Une fois sur le palier, ils se regardèrent dans la pénombre, et la tension entre eux sembla presque palpable. Dev avait l'impression d'être enveloppé dans une sorte de brouillard, qui lui troublait la vue et ralentissait ses mouvements et ses réactions.

— J'ai faim, dit-elle à voix basse pour ne pas réveiller Felix. Je crois que je vais voir ce qu'il y a dans la cuisine avant de me coucher. Tu n'es pas obligé de m'attendre.

— D'accord, répondit-il, sans pour autant bouger.

— Il y a un problème ? demanda-t-elle d'une voix voilée. Je ne t'en veux plus, si c'est cela qui t'inquiète.

— Non.

— Alors quoi ?

— Je pensais ce que je t'ai dit chez ma mère.

Elle sembla se figer.

— Je n'en ai pas douté un seul moment.

— Bien, parce que nous ne pouvons avoir une relation ensemble, précisa-t-il en s'avançant d'un pas.

Ils se touchaient presque.

— Entièrement d'accord. Ce serait de la folie.

Elle leva le visage comme lui inclinait le sien. Leurs lèvres se touchèrent, et ce fut tout. Rien de plus pour les rapprocher, pour les attirer l'un vers l'autre que leurs bouches avides. L'un comme l'autre aurait pu reculer, mais aucun ne le fit. Les lèvres de Sharlee s'entrouvrirent sous celles de Dev, et il l'embrassa follement, comme si elle était à lui. Quand elle lui répondit avec la même fougue, il s'embrasa. Le feu se répandit dans ses veines.

Tandis qu'il l'étreignait, elle gémit doucement, puis chercha son souffle. Ses seins bougeaient au rythme de sa respiration. Il avait envie de la soulever dans ses bras, de l'emporter et de se jeter sur son lit avec elle pour…

— Bon sang, Sharlee, nous ne pouvons pas faire ça.

— Dans ce cas, ne fais rien, répondit-elle en passant les mains sous la chemise de Dev pour lui caresser le torse.

Il frémit.

— Tu penses que je ne peux pas m'arrêter, n'est-ce pas ? Regarde, dit-il alors en se dégageant. Je suis sur le point de succomber, mais je respecte aussi ma parole.

Que seul un idiot aurait donnée…, pensa-t-il.

— C'est vraiment très élégant de ta part, Dev, dit-elle évasivement sans cesser de le caresser.

Il tremblait de désir.

— Ecoute… Pour l'instant, je vais prendre une douche.

Puisant dans ses réserves de volonté, il trouva la force de s'éloigner de Sharlee.

— Si tu as envie de me rejoindre plus tard…, ajouta-t-il.

Elle ne répondit pas tout de suite — un silence qui ne fit qu'accroître la tension.

— On dirait presque une invitation. Souhaites-tu que je te rejoigne, ou non ?

— Tu sais bien que oui, répondit-il d'une voix rauque. Mais ne le fais pas.

— Oui, non… Décide-toi, Devin.

Elle se moquait de lui. Elle le provoquait et elle était excitée aussi. Après lui avoir adressé un petit signe aguicheur, elle lui tourna le dos.

Serrant les dents, il s'engagea seul dans le couloir sombre, en direction de sa chambre. A chaque pas, il se répétait qu'il faisait le bon choix, mais il se sentait aussi le roi des imbéciles.

*
* *

La chaleur épuisait Sharlee — la chaleur d'une nuit de Louisiane, mais surtout la chaleur provoquée en elle par Dev. Il avait exacerbé tous ses sens avec ce baiser, et maintenant chaque partie de son corps le réclamait.

Néanmoins, elle se dit qu'elle avait plutôt bien géré la situation. Elle inspecta l'intérieur du réfrigérateur. Il y avait de quoi contenter toutes les faims : des restes d'étouffée, la moitié d'une *muffaletta*, sept cheese-cakes…

Sept cheese-cakes ? Felix devait manquer de place dans les réfrigérateurs du restaurant. Malheureusement, elle n'avait pas envie de cheese-cake. Ce dont elle avait envie se trouvait à l'autre bout du couloir, avec ses scrupules nouvellement acquis intacts.

D'un geste rageur, elle ferma la porte du réfrigérateur et appuya son front contre la fraîcheur de la surface émaillée. Elle avait le sentiment d'être dans cette ville, cet appartement et d'occuper ce travail depuis toujours. Elle habitait dans un château de cartes, et elle ferait mieux d'en partir avant qu'il ne s'écroule sur elle.

Elle avait tellement de choses à s'occuper et elle ne s'occupait d'aucune : sa famille, son avenir professionnel et, sans doute le plus effrayant, les sentiments qu'elle éprouvait pour Dev. Elle n'aurait pas cru qu'elle lui portait encore le moindre sentiment, mais elle se racontait des histoires. Avant qu'elle ne reparte, il fallait qu'elle réussisse à tirer un trait définitif sur leur passé.

En même temps, elle devait trouver un véritable travail et se préparer à affronter ses parents et grands-parents comme l'adulte mûre qu'elle prétendait être. Dans le cas contraire, elle ne pourrait plus jamais garder la tête haute.

Bien, pensa-t-elle. Demain, elle irait sur internet et contacterait plusieurs amis journalistes qui travaillaient sur la côte

Ouest. L'un d'eux aurait certainement une piste à lui fournir. Elle irait aussi à la bibliothèque, consulter l'annuaire professionnel de la presse.

Quant à sa famille…

Sa chemise de soie collait à la peau humide entre ses omoplates. Se redressant, elle déboutonna le vêtement et le laissa tomber à terre. Le buste nu, à l'exception d'un soutien-gorge de dentelle, elle s'éventa de la main. Quelle chaleur insupportable !

Quant à sa famille, il y avait apparemment de nombreux secrets qui ne demandaient qu'à être découverts. Peut-être que si elle parvenait à rencontrer discrètement oncle Charles…

Non pas qu'elle comptât utiliser ce qu'elle pourrait découvrir à l'encontre de qui que ce soit habitant à Lyoncrest. Elle voulait seulement savoir. En réalité, elle avait *besoin* de savoir, ou alors elle se demanderait toujours quelle était sa place.

Se déplaçant prudemment dans la pénombre, elle se dirigea vers la porte-fenêtre donnant sur le balcon. Les deux battants étaient grands ouverts pour essayer de créer un courant d'air. Un voleur pourrait certainement entrer et ressortir ni vu ni connu, à condition qu'il y ait dans l'appartement quoi que ce soit qui vaille la peine d'être volé.

Même la lumière de la lune ne parvenait pas à éclairer le jardin, plus bas, sur lequel les bâtiments alentour projetaient leur ombre. Tout comme la vérité qu'elle cherchait, et qui semblait cachée par les ombres. Tout comme aussi ses sentiments pour Dev, si profondément enfouis en elle qu'aucune lumière ne pouvait les atteindre pour les éclairer.

Elle l'avait aimé. Aujourd'hui, elle cherchait seulement à le faire un peu souffrir. Cela s'appelait se venger. La vengeance… Un mot pas très joli, elle en convenait, mais qui trouvait une résonance en elle.

Son pantalon de lin lui tenait aussi chaud que des caleçons

de lainage et elle hésita, la main sur le bouton de la taille. Pourquoi pas ? se dit-elle. Il faisait noir, et tout le monde dormait dans la maison. Personne ne saurait qu'elle s'était déshabillée dans la cuisine.

La pantalon glissa jusqu'au linoléum. Prenant une profonde inspiration, elle leva les bras et s'étira. Depuis son retour, elle n'avait pas éprouvé de plus grande sensation de fraîcheur sans air conditionné, et elle pouvait sentir le paresseux mouvement de l'air provoqué par le ventilateur du plafond.

Sa poitrine était lourde, sous la dentelle fine de son soutien-gorge. Et si elle enlevait tout…

Amusée par cette idée, elle rit doucement. Elle devrait peut-être se faire embaucher comme strip-teaseuse dans un club de Bourbon Street — pour véritablement choquer sa famille.

Bon sang. Elle lança un regard à l'autre bout du couloir, où il avait disparu. Il l'avait invitée dans son lit, à mots à peine voilés, et elle avait envie de courir l'y rejoindre, mais elle ne devrait peut-être pas. Pas encore, du moins. Elle devrait plutôt attendre qu'il la désire autant qu'elle le désirait.

— Prends garde à toi, Devin Oliver, chuchota-t-elle. Tu ne vas pas t'en sortir à si bon compte, cette fois.

Malgré tous ses efforts, Dev ne parvenait pas à fermer l'œil. Allongé sur le dos, il fixait le plafond alors que mille pensées se bousculaient dans son esprit.

Non, il ne courrait pas après Sharlee. Elle viendrait de son propre chef, ou ne viendrait pas.

Le baiser lui avait tout dit : elle avait envie de lui. Est-ce que son raisonnement sans queue ni tête avait fini par la mettre hors d'elle ? Elle attendait peut-être qu'il fasse le premier pas pour, ensuite… Quoi ? L'envoyer sur les roses ? Ajouter à sa culpabilité ? Reprendre là où ils s'étaient arrêtés ?

Il soupira. Non, il n'irait pas la chercher, même si cela impliquait de passer le reste de la nuit à combattre le désir et la fièvre. Il n'était plus un adolescent.

Il repoussa les draps, essaya de trouver un peu de fraîcheur. Peut-être avait-il besoin d'un verre d'eau ?

C'est alors que la porte de sa chambre s'ouvrit et il se crispa. Des pas légers s'approchèrent, s'arrêtèrent à côté de son lit.

— Dev, Dev, tu dors ?

Se penchant vers lui, Sharlee lui toucha le bras d'un geste hésitant.

Il fit semblait de dormir et de se réveiller.

— Que se passe-t-il ? Il y a un problème ?

Dans un mouvement aussi naturel que possible, il se tourna vers elle et l'enlaça pour l'attirer dans le lit avec lui et… Etait-elle nue ? Non, il sentit des bretelles dans son dos et la bande élastique autour de ses hanches. Bon, elle portait un soutien-gorge et une culotte.

— Que se passe-t-il ? répéta-t-il.

— Doit-il se passer quelque chose ? J'ai cru comprendre que tu m'avais invitée. Mais si ce n'est pas le cas…

Elle réprima un petit cri tandis qu'elle posait une main sur sa hanche.

— Tu es nu ?

— Je suis au lit, répliqua-t-il. Tu espérais quoi ?

Sharlee fut secouée d'un rire nerveux.

— Je sais que tu ne veux pas commencer une histoire avec moi, mais j'espérais que…

Pendant qu'elle parlait, elle insinua adroitement un genou entre les cuisses de Dev.

— … tu accepterais au moins une fois de me faire une démonstration de tes talents.

— Gagné ! s'exclama-t-il.

Il lui caressa les fesses. Elle avait la peau douce.

— Est-ce que tu pensais à quelque chose comme ça ?

Elle retint son souffle.

— C'est un début.

Elle posa les lèvres à la base du cou de Dev, là où elle voyait battre son pouls.

— Je n'aurais pas pu dire mieux moi-même.

Et, d'un mouvement vif et puissant, il roula au-dessus d'elle et lui fit sentir comme il le désirait. Elle répondit en laissant échapper un petit gémissement ravi.

— Je suppose que tu étais sincère à Bayou Sans Fin, murmura-t-elle. Il n'est pas question que ça recommence, toi et moi…

Quand il l'attira au-dessus de lui, elle faillit perdre tout contrôle. Il était entièrement nu, et c'était grisant de sentir ce corps viril et puissant sous elle. Grisant, surtout, de se retrouver comme à seize ans, comme lorsqu'elle était si jeune, si inexpérimentée et vierge. Tout en l'embrassant, il fit glisser sa culotte, dégrafa le soutien-gorge. A présent, elle était nue et offerte aux merveilleuses caresses qu'il lui prodiguait. Mon Dieu, que c'était bon. Pour rien au monde elle n'aurait voulu être ailleurs… Toute idée de vengeance lui semblait envolée. Demain, demain peut-être, elle y penserait de nouveau.

Elle s'ouvrit à lui et il la posséda d'une poussée puissante qui lui arracha une plainte de plaisir. De nouveau, elle se sentait elle-même, parfaitement en paix. Il commença à bouger en elle, des frissons la parcoururent — et elle retrouva les sensations éprouvées autrefois dans ces bras-là. Bientôt, des larmes de volupté lui montèrent aux yeux, tandis qu'une pulsation enflait en elle.

Dev la suivait dans le plaisir. Ensemble, ils ondulaient comme une vague. Il pouvait bien faire d'elle ce qu'il voulait, elle se sentait incapable de lui résister. On aurait dit que jamais ils n'avaient été séparés, qu'ils étaient amants depuis le début du monde, et que le temps n'avait jamais existé.

Et quand la jouissance vint, elle les emporta ensemble.

Dev fut réveillé par les rayons du soleil. Sharlee était lovée contre lui. Un sentiment de paix et de satisfaction infini l'envahit alors.

Si au moins il ne l'avait pas trouvée en train de pleurer sous la tonnelle, à Lyoncrest, il y avait si longtemps de cela. S'ils avaient attendu de découvrir ce lien entre eux, comme leurs vies auraient été différentes. Mais, à la place, ils avaient tous deux été blessés par cet amour juvénile.

Cette fois, ce serait différent, se promit-il, sans pour autant savoir ce que leur réservait l'avenir. Prenant soin de ne pas la réveiller, il posa la main sur l'épaule de la jeune femme et caressa sa peau douce comme celle d'un bébé jusqu'à son poignet. Il avait résisté, elle avait résisté, et soudain, ils s'étaient trouvés l'un et l'autre en même temps à court d'excuses.

Il ne sut pas quand elle s'était réveillée, mais ses yeux noisette s'ouvrirent soudain. Elle lui adressa un regard inquisiteur, comme si elle pouvait lire en lui ses pensées et ses sentiments les plus secrets.

Il sourit.

— Bonjour.

— Mmm, répondit-elle en se lovant plus près de lui avec un profond soupir. Nous avons passé une bonne nuit, finalement.

— Entièrement d'accord. Merci d'être passée.

— Comment aurais-je pu décliner une aussi charmante invitation ?

— Tu ne le pouvais pas, j'imagine. Et je t'en remercie.

— J'espère ne pas le regretter, dit-elle en caressant le torse de Dev.

— Je t'ai déjà blessée une fois. Je ne le voulais pas, mais je l'ai fait. Je ne veux pas recommencer.

— Pas de risque, dit-elle en se relevant juste assez pour le regarder droit dans les yeux. Inutile de t'inquiéter. Je n'ai plus seize ans.

— C'est ce que je vois.

— En vérité, reprit-elle en posant la tête sur l'épaule de son amant, j'en avais assez d'être en permanence distraite par ta présence. J'ai d'autres choses auxquelles penser.

Il ne savait pas trop comment prendre ces dernières paroles…

— Comme quoi ?

— Partir.

— Tu as déjà des projets dans ce sens ? demanda-t-il en tentant de dissimuler sa déception.

— C'est en cours. Il y a certaines choses que je dois faire avant.

— Par exemple ?

— Eh bien, dit-elle en embrassant le torse de Dev, ça. Coucher avec Dev, et voir si c'était comme dans mes souvenirs. Mais maintenant, je peux le rayer de ma liste, ajouta-t-elle en faisant sembler de tirer un trait en l'air.

Il n'arrivait pas à en croire ses oreilles — et il ne put résister à la tentation d'entrer dans son jeu.

— Et alors ?

— A ton avis ? répondit-elle avec un sourire malicieux. De toute façon, voilà une mission accomplie, et il m'en reste encore deux. Maintenant, il faut que je trouve de quoi parlaient grand-père et oncle Charles lors de la conversation que j'ai surprise au cocktail du cinquantenaire.

Il se hissa sur un coude et posa la tête dans sa main.

— C'est la première fois que tu m'en parles.

Avec un battement de cils provocateur, elle répondit :

— Sans doute parce que je suis d'humeur bavarde, ce matin. Charles a dit : « Il y a plus de secrets dans la famille que de bougies sur ce gâteau. » Et comme tu le sais, il y avait cinquante bougies.

Dev commença à se sentir mal à l'aise.

— Il s'agissait peut-être de paroles en l'air…

— Oh non, il était tout ce qu'il y a de plus sérieux, et grand-père avait l'air très sérieux, lui aussi. Quand j'ai dit à oncle Alain que je voulais parler avec son père, il m'a envoyée promener. Leslie m'a donné quelques indices quand je l'ai vue l'autre jour à Jax, et ensuite le barman, hier soir, m'en a donné de nouveaux.

Elle s'assit, repliant ses jambes sous elle. Sa poitrine était pleine et tentante.

— Je n'ai vu que la partie émergée de l'iceberg, dit-elle. J'en connais seulement assez pour comprendre qu'il y a encore plein de choses à découvrir. J'espère sincèrement que l'on ne m'a rien caché d'épouvantable. Mais même s'il s'agit de petites choses…

— Sharlee…, commença Dev sur le ton de la mise en garde.

— Non, c'est important pour moi. Je déteste les secrets. J'ai toujours détesté les secrets, ce qui explique sans doute en partie pourquoi je suis devenue reporter, j'imagine.

— Et toi, demanda-t-il, tu n'as pas de secrets ?

— Non. Et toi ?

— Peut-être un ou deux, admit-il tout en la caressant.

Elle sourit et ferma les yeux.

— Dis-moi ce que je dois te faire pour que tu avoues. Je t'obéirai. Dis-moi. Montre-moi, Dev.

— Ma douce, murmura-t-il, je ne peux rien te montrer. Vraiment rien, d'ailleurs : nous sommes à cours de préservatifs.

— Dans ce cas, je pense que nous ne pouvons vraiment pas recommencer.

— Eh bien… Peut-être tout de même un peu.

Et Dev embrassa avidement les seins de Sharlee…

12.

Sharlee était encore sous la douche quand le téléphone sonna. Dev échangea quelques mots avec son interlocuteur, puis raccrocha et partit dans la cuisine en quête de son indispensable première tasse de café de la journée. Dans la cuisine, il trouva Felix, qui se tenait près de la fenêtre avec sa tasse à la main, arborant une expression renfrognée.

— Tu as une mine affreuse, Felix, lança Dev en réajustant son pantalon de pyjama.

— Et toi tu as l'air de quelqu'un qui n'a pas la conscience tranquille.

— Je te dispense de tout jugement moral, d'accord ?

Felix sembla réfléchir à la remarque de Dev.

— Ouais, concéda-t-il enfin. J'imagine que je te jugeais. C'est seulement que je n'ai pas envie de vous voir souffrir. Tu es mon associé, elle est une gentille fille, et elle travaille dur aussi.

— Promis, je ferai attention à notre amie commune.

— Elle et moi, on n'est pas amis à ce point…, rétorqua ironiquement Felix, en désignant du menton un vêtement, au sol.

Le chemisier de Sharlee… Dev répima un sourire.

— C'est ça, souris, reprit Felix. Je m'attendais que cela arrive, mais j'espérais que… Et puis laisse tomber.

Il termina son café et posa sa tasse dans l'évier.

— Vous êtes tous les deux suffisamment grands pour savoir ce que vous faites.

— Felix, attends, tu ne comprends pas ce qui se passe entre elle et moi.

« Moi non plus », aurait pu ajouter Dev.

— Je comprends surtout qu'il n'en sortira rien de bon. Maintenant, si tu permets, je dois y aller.

Felix sortit de la cuisine au moment où Sharlee arrivait. Elle avait l'air fraîche et jolie, avec ses cheveux humides et pas une touche de maquillage.

— On dirait que Felix s'est levé du pied gauche, dit-elle. Moi, en revanche, je me suis levée du bon pied. Même si ce n'était pas de mon lit.

— Ce sera le tien aussi longtemps que tu le voudras.

Une expression de faiblesse passa furtivement sur son visage, suivie par un petit sourire taquin.

— Attention, dit-elle. Je pourrais bien te prendre au mot, ou peut-être pas.

Elle s'arrêta et se pencha pour ramasser son chemisier et son pantalon, puis elle les lança sur une chaise comme si se déshabiller chaque soir dans la cuisine était la chose la plus naturelle au monde.

Ensuite, elle se servit de café et se tourna vers Dev avec un petit sourire défiant.

— Ecoute, annonça-t-il en posant sa tasse vide dans l'évier, j'ai plusieurs courses à faire ce matin. Quand tu descendras, pourras-tu dire à Felix que je serai de retour pour l'ouverture ?

Le sourire de Sharlee s'évanouit.

— D'accord.

Il attendit qu'elle lui demande où il allait, ce qu'il faisait, voire si elle pouvait l'accompagner, mais apparemment elle avait encore sa fierté, et elle tourna les talons, au plus grand soulagement de Dev.

Toutefois, il eut le temps de voir qu'elle était déçue — ce qu'il n'aima pas du tout.

A Lyoncrest, la domestique conduisit Dev dans le salon, et Margaret l'y retrouva presque immédiatement.

— Merci d'être venu aussi rapidement, dit-elle en s'asseyant dans le luxueux canapé de brocart. Tu veux boire quelque chose ? Du café ? Du thé glacé ?

— Non, merci. Je viens juste de terminer mon petit déjeuner.

Elle hocha la tête, croisant les mains sur les genoux.

— Que faisait Charlotte à se promener dans Bourbon Street, seule, hier soir ?

— Ah, dit Dev, dont le regard se tourna vers le portrait d'Alexandre Lyon, le fondateur de l'empire familial, qui trônait au-dessus de la cheminée. Je vois que Crystal vous a parlé.

— Bien sûr, répondit Margaret, qui le transperça du regard. Charlotte va bien, n'est-ce pas ? Crystal dit que je ne devrais pas m'inquiéter autant, que tu la suivais, mais cela m'inquiète malgré tout.

— Elle va bien, concéda-t-il sur un ton agacé.

— Bien, dit Margaret, qui sembla légèrement se détendre. Pourquoi est-elle allée à Bourbon Street seule ? Vous vous êtes disputés ?

S'étaient-ils disputés ? se demanda Dev. Il n'en était pas sûr lui-même, alors il se contenta de dire :

— Non. Elle est sortie parce qu'elle était trop agitée pour dormir.

Puis, après une hésitation, il ajouta :

— Toutefois…

— Oui ? demanda impatiemment Margaret.

— Elle pose beaucoup de questions sur notre famille.

— C'est un terrain dangereux, hélas… Paul est d'avis de tout raconter à Sharlee ; Gaby et André ne veulent rien lui révéler. Et moi… je me situe quelque part au milieu. Tant que nous ne serons pas parvenus à un compromis, puis-je te demander d'amener Charlotte à renoncer ?

— Hors de question. Je vous ai déjà dit que je ne me mêlais plus de vos histoires, et je m'y tiendrai.

Il prit alors une statuette de verre représentant un oiseau, et il la fit tourner dans ses mains. Les facettes du verre taillé scintillaient de mille lumières, rappelant à Dev les yeux de Sharlee.

Il reposa l'objet d'un geste sec.

— Elle veut parler à Charles.

— Charles ? s'exclama Margaret, l'air soudain paniquée. C'est la dernière personne qu'elle doit approcher. Lui et Alain présenteront les choses sous le plus mauvais jour possible.

Elle resta un moment à mordiller sa lèvre inférieure avant de reprendre :

— Ma petite-fille ne doit en aucun cas parler avec Charles. D'ailleurs, cela m'étonnerait qu'Alain le permette.

— Alain est contre, mais vous savez comme moi que quand Sharlee a quelque chose en tête…

— Devin, tu dois…

— N'y pensez même pas. J'ai fait ce que vous m'aviez demandé de faire. N'attendez rien de plus de ma part.

Elle resta un moment à le dévisager, comme si elle ne pouvait pas croire qu'il fût sérieux. Puis elle soupira.

— D'accord. Mais si tu avais un enfant, tu comprendrais. Elle ne doit absolument pas parler avec Charles, insista la vieille dame avec un regard implorant.

— Je ne suis pas sûr d'être d'accord.

— Dans ce cas, c'est tout aussi bien que tu aies tiré ta révérence, fit doucement remarquer Margaret.

Sur le chemin du retour, Dev poussa un soupir de soulagement. Cette fois, les choses étaient claires, et il veillerait à ce qu'elles le restent.

Sharlee ne rejoignit pas le lit de Dev ce soir-là, et elle ne l'invita pas non plus dans le sien. Une fois le restaurant fermé et son travail terminé, elle déclara être épuisée.

Elle surprit le regard que s'échangèrent Felix et Dev, mais l'ignora. Elle était déterminée à exacerber le désir de Dev, de manière à ce qu'il connaisse, quand elle partirait, ne serait-ce que la moitié du désarroi qu'elle avait éprouvé quand lui l'avait quittée, neuf ans plus tôt. Et la seule manière d'y parvenir était de garder ce qu'elle souhaitait tellement lui donner.

Ce qui n'était pas facile. Quand il la rattrapa dans l'escalier, elle ne voulut même pas lui parler de peur de ne pas être assez forte pour résister.

— Attends une minute, Sharlee. J'ai quelque chose à te dire.

Elle sentit son estomac se serrer, ce qui ne présageait rien de bon. Essayant de maîtriser ses émotions, elle se tourna vers lui et demanda :

— Oui ?

— Ta grand-mère a appelé ce matin et m'a demandé de passer à Lyoncrest.

— Grand-mère ? répéta-t-elle en fronçant les sourcils. Que voulait-elle ?

— Crystal t'a vue hier soir à Bourbon Street et tante Margaret s'inquiétait pour toi.

— Je suppose que tu lui as fourni un rapport complet.

— Non. Je lui ai dit que tu allais bien et je lui ai rappelé que je n'étais pas ton ange gardien.

— Tu n'as pas été très convaincant, on dirait.

Il semblait exaspéré.

— Et que suis-je censé faire ? Lui ordonner de te ficher la paix ?

— Oui, mais en termes plus polis, rétorqua-t-elle, sentant son impatience grandir.

— Enfin, sois raisonnable, demanda-t-il en hochant la tête. Tu crois que j'aime me retrouver pris au milieu de tout ça ?

— Tu devrais. Tu t'en sors très bien.

— Bon sang, Sharlee ! répliqua-t-il sur un ton tout aussi énervé. J'essaie d'être honnête, mais on ne peut pas dire que tu me facilites la tâche. Je ne voulais pas mettre ça sur le tapis, mais… Et puis laisse tomber.

Il s'apprêtait à descendre, puis hésita.

— Une dernière chose. Je veux que tu me promettes de ne pas quitter la ville sans avoir d'abord parlé avec ta famille.

— Je ne promettrai pas une telle chose. Pourquoi le devrais-je ?

— Pour me prouver que tu es courageuse et adulte. Ça te suffit comme raison ?

Ils se fixèrent. En vérité, Sharlee n'avait que des projets vagues et elle ne savait pas quoi faire.

— Attendons, et nous verrons, concéda-t-elle enfin. Comme tu l'as dit, tu as cessé d'être mon ange gardien, alors quelle différence cela fait-il par rapport à toi ?

Les yeux de Dev lancèrent des éclairs.

— Quand tu présentes les choses ainsi, ma douce, je ne vois aucune différence.

Cette nuit-là, elle se déshabilla dans sa chambre, et pas dans la cuisine. Elle pouvait entendre Dev dans la chambre voisine, et elle supportait à peine de le sentir si proche et si éloigné à la fois. Toutefois, elle était encore trop en colère pour aller vers lui. Si au moins il arrêtait de s'agiter ainsi !

Quand les bruits cessèrent enfin, elle entendit la porte de sa chambre s'ouvrir et se fermer. Il sortait.

Il sortait sans elle.

Après tout, qu'il fasse ce qu'il voulait !

Ce même soir, elle brancha son ordinateur portable et se connecta à internet. Ayant puisé un nouveau courage dans le manque de loyauté de Dev, elle se mit au travail avec une hargne vengeresse, et envoya un courriel à tous les journalistes de la côte Ouest dont elle possédait, ou dont elle avait pu récupérer l'adresse. Ensuite, elle consulta les sites de chaque journal de Californie qu'elle put trouver, et elle en trouva de nombreux. Elle vérifia les signatures de chaque article, et eut la bonne surprise de découvrir le nom de plusieurs journalistes avec lesquels elle avait été en contact, voire avec lesquels elle avait travaillé. Sur le site du *Globe* de San Francisco, elle trouva même la signature d'un journaliste spécialisé en finance qu'elle avait rencontré l'année précédente à Denver à l'occasion d'un colloque.

Qui ne tente rien n'a rien, et elle lui écrivit comme à tous les autres.

Le lendemain, elle trouva plus d'une dizaine de réponses dans sa boîte de réception. C'était toujours agréable d'avoir des nouvelles de vieux amis, mais ce qu'elle cherchait ne semblait pas être là — jusqu'à ce qu'elle ouvre le dernier message.

Elle n'en croyait pas ses yeux : une réponse de Jere Bryce, le journaliste d'investigation du *Globe*. Impatiente, elle parcourut son message :

« Chère Sharlee, je me souviens bien de toi ! Tu avais posé des questions intéressantes lors de l'atelier que j'avais animé. Concernant la situation ici : le *Globe* va prochainement ouvrir des agences dans l'arrière-pays. Je vais essayer de demander autour de moi si quelqu'un connaît les dates. Bien entendu, cela ne veut pas dire que tu seras prioritaire. Tu devras comme toujours jouer des coudes avec un million d'autres journalistes qui cherchent du travail. Mais si tu as un book intéressant et que tu aimes travailler sans compter, qui sait ? Je te souhaite bonne chance, et mes amitiés à Big Easy. Jere. »

Jere. Un lauréat du prix Pulitzer qui signait un courriel adressé à une petite journaliste de rien du tout comme elle : « Jere ». Elle n'en revenait pas.

« Cher Jere, répondit-elle, la concurrence ne me fait pas peur. Si tu me trouves ces dates, je te serai éternellement reconnaissante. »

Trois jours plus tard, elle reçut la réponse suivante :

« J'aime bien ton cran, fillette. On peut envoyer dès maintenant les candidatures pour les postes à pourvoir du service des informations générales. Joins des copies de quelques articles, et précise-leur que tu as participé à un atelier avec moi. Envoie le tout à... »

Les informations générales ! Exactement ce qu'elle cherchait.

Ce soir-là, elle descendit pour le service du dîner seulement à moitié concentrée sur son travail. Sa vie semblait s'être subitement accélérée, et elle commençait à réaliser que, si elle quittait La Nouvelle-Orléans, ce serait certainement pour de bon, cette fois.

Toutefois, il lui restait encore des choses à découvrir. De son métier, elle avait appris que la meilleure manière de trouver la réponse que vous cherchiez était de poser la bonne question à la bonne personne. Alors, pendant sa pause, elle appela Alain au restaurant Chez Charles.

— Je voulais seulement prendre des nouvelles d'oncle Charles, expliqua-t-elle. Je me disais que je pourrais passer lui rendre visite.

— Désolé, répondit Alain sur un ton poli, mais néanmoins catégorique. Il a des crises d'asthme et ne peut voir personne.

— Quel dommage, mais je ne suis pas n'importe qui. Je suis un membre de la famille, et je ne l'embêterai pas.

— Si. Il ira peut-être mieux d'ici un mois ou deux.

— Je ne peux pas attendre un mois.

— Ah oui ? Tu quittes la ville ?

— Je n'ai pas dit cela. Je suis seulement impatiente.

Il rit.

— Oui, comme le reste de ta famille. Je regrette, je ne peux rien faire pour toi. Mais je dirai à papa que tu as appelé.

— Merci, marmonna Sharlee, qui raccrocha au moment où Dev sortait de la cuisine.

— Des problèmes ? demanda celui-ci, en haussant les sourcils.

— Je voulais passer voir oncle Charles demain, mais oncle Alain dit qu'il n'est pas en état de recevoir des visites.

— Vraiment ? J'ai vu Charles hier, et il m'a semblé aller très bien.

— Tu l'as vu ?

— Oui, répondit Dev en haussant les épaules. Il est mon grand-père.

— Pourrais-tu t'arranger pour que je le voie ?

Dev lança un regard en direction de la salle de restaurant.

— Je pense que nous devrions parler de cela plus tard. La pauvre DeeDee est complètement débordée.

— D'accord, mais n'oublie pas. Parce que moi, je n'oublierai pas.

— Sharlee, je ne te crois pas capable d'oublier la moindre chose, et c'est certainement le trait le plus agaçant de ta personnalité.

Elle le suivit jusqu'à la salle de restaurant et se mit aussitôt au travail, mais elle avait tout autre chose en tête. Comme le fait que de nombreuses personnes savaient beaucoup de choses — surtout Devin Oliver.

Dev connaissait ce regard que Sharlee venait de lui lancer. Elle allait l'épingler au mur, exactement comme elle épinglerait sa grand-mère, parce qu'ils lui avaient tous deux caché des secrets de famille dans sa recherche des « secrets » que sa grand-mère cherchait à tout prix à lui cacher. Quel cauchemar…

Une fois le restaurant fermé, il traîna dans la cuisine, faisant divers petits travaux pour aider Felix jusqu'à ce que Sharlee abandonne et monte à l'appartement. La regardant partir, Felix dit :

— Ce n'est pas en l'évitant que tu résoudras tes problèmes.

— Est-ce que je t'ai demandé ton avis ? rétorqua Dev en retirant d'un coup sec son tablier de travail.

Felix éclata de rire.

— Non, mais ça te ressemble tellement peu de jouer au dur.

— Ça l'est quand j'essaie d'éviter toutes ces questions.

— Elle est curieuse, concéda Felix. Si tu veux un conseil, dis-lui la vérité et ensuite prends tes jambes à ton cou.

— Je pense que je vais commencer par prendre mes jambes à mon cou, et que j'oublierai de dire la vérité.

— C'est-à-dire ?

— Je vais faire un saut Chez Charles et avoir une petite conversation avec mon beau-père. Si on te demande où…

— C'est bon. J'ignore ce qui se passe, et peu importe. Je me contente de travailler ici.

Dev regretta de ne pas pouvoir faire preuve du même détachement.

Alain ouvrit une bouteille de Perrier et versa l'eau gazeuse dans un verre de cristal. Il posa ensuite la bouteille vide sur le petit bar et se dirigea vers son immense bureau de verre et d'acier.

Les livres de compte ouverts devant ses yeux lui indiquèrent le même message que quelques minutes plus tôt : Chez Charles avait des problèmes financiers.

Et ce n'était pas la première fois.

Quelqu'un allait encore devoir se dévouer pour aller voir Paul et André, et essayer d'obtenir un de ces « prêts » qui maintenaient le restaurant à flot. Pas récemment, toutefois, car depuis huit ans il avait réussi à éviter cet exercice si humiliant.

Non, il n'irait pas. Il enverrait son père, cette fois. Si Paul et André résistaient, alors seulement il entrerait lui-même en lice, mais il doutait qu'ils osent s'en prendre à un vieil homme comme Charles.

Il but une nouvelle gorgée d'eau pétillante. Cette humiliation ne serait plus qu'un mauvais souvenir, quand il aurait apporté la dernière touche à son plan, mis au point pour récupérer ce qui lui revenait de plein droit. L'imposture d'André enfin révélée, lui, Alain, serait investi des pleins pouvoirs à WDIX-TV.

Ce serait l'étape ultime. Il devait manœuvrer en finesse pour qu'elle soit couronnée de succès.

Ses troupes étaient déjà en place à WDIX-TV : son frère Raymond travaillait à la comptabilité, son frère Jason travaillait au service commercial et son autre frère Scott était caméraman, mais il doutait parfois de la loyauté de ce dernier. Son fils Alex travaillait à mi-temps à la rédaction, et il pourrait bien décrocher un poste à l'antenne si seulement il obtenait son maudit diplôme. Alex semblait en effet beaucoup plus doué pour les jolies femmes, le poker et la chanson que pour la communication. Néanmoins, il s'avérait utile de temps à autre — comme cela avait été le cas au moment du retour de Charlotte.

Et puis il y avait Dev.

Son beau-fils… Il avait occupé la place la plus intéressante entre toutes : assistant d'André. Alain n'avait pas douté une seconde que Dev ferait ce qu'on lui demanderait — tant que sa mère serait de ce monde. Malheureusement, celle-ci disparue, la donne avait complètement changé. Et il trouvait profondément déloyal de la part de Dev de tourner le dos à sa famille. Ce petit bâtard qu'il avait élevé comme son fils… Voilà comment il lui exprimait sa reconnaissance ! Pourtant, il ne lui avait demandé que de faire un peu d'espionnage industriel. Cela se pratiquait partout !

La porte de son bureau s'ouvrit, et en parlant du loup… Il vit entrer Dev et il s'empressa de lui sourire.

Dev prit place dans un fauteuil de cuir.

— Content de te voir aussi heureux, dit-il.

— La vie me sourit, répondit Alain.

— Je peux savoir en quoi ? demanda Dev en haussant les sourcils.

Alain éclata de rire. Comme s'il allait confier quoi que ce soit à ce sale petit traître !

— Bien sûr. Les affaires marchent bien, il fait beau, et mon renégat de fils est venu me rendre visite.

Dev ne rit pas, lui.

— Je suis désolé que tu me considères si mal. Je ne t'ai pas trahi, Alain, pas plus que je ne peux trahir l'autre branche de ma famille.

— Mais ce n'est pas *ta* famille. Disons que tu es plutôt un visiteur privilégié — à moins, bien entendu, que tu ne décides d'entrer dans la famille en faisant alliance, puisque tu y as déjà presque réussi.

Il fixa Dev en plissant les yeux et ajouta :

— Au fait, comment va la forte tête ?

— Je ne suis pas venu te parler de Sharlee, Alain.

Alain afficha une expression faussement choquée.

— Tu m'appelais papa, comme mes autres enfants. Qu'ai-je donc fait pour mériter une telle ingratitude ?

Ils se mesurèrent du regard. Dev ne fut pas le premier à baisser les yeux, ce qui surprit et agaça Alain au plus haut point. Décidément, Dev n'était plus un gosse.

Dev se redressa sur son siège.

— Je ne suis pas ton fils et je ne te dois rien, annonça-t-il calmement. Tu avais les moyens de m'obliger à me tenir tranquille, mais c'est terminé.

Ils savaient tous deux à quoi il faisait allusion. Alain haussa les épaules.

— Dis-moi plutôt à quoi je dois cette visite, aussi inattendue qu'inopportune ?

— Selon Sharlee, tu lui as raconté que Charles n'allait pas bien. C'est vrai ?

— Pourquoi est-ce que je mentirais ?

— Je vois au moins une centaine de raisons.

— Je n'en doute pas, répondit Alain.

Soudain, il eut envie de tout raconter à Dev. Si celui-ci apprenait ce qui était sur le point de se produire, nul doute qu'il rejoindrait immédiatement le giron familial.

Très honnêtement, Alain avait vraiment considéré Devin comme son propre fils, et il avait toujours du mal à croire que le jeune homme serait prêt à le trahir uniquement par soif de justice. Peut-être que s'il lui expliquait...

Alain prit une profonde inspiration et réussit à maîtriser son impulsion. Dev était en dehors de la partie, maintenant, et le bon sens imposait qu'il y reste.

— Tu sais bien que papa a de l'asthme, dit finalement Alain. Il ne peut voir personne, même pas toi. Dis à ta petite camarade de le laisser tranquille, Dev. C'est un ordre.

Dev se leva.

— C'est la dernière fois que tu me donnes un ordre, Alain. Merci de transmettre à Charles mes vœux de prompt rétablissement.

— Compte sur moi.

Frustré parce qu'il souhaitait révéler tellement de choses à Dev, Alain le laissa pourtant sortir de son bureau sans une parole de plus pour ne pas mettre en péril ses plans à long terme.

Ensuite, il vida son Perrier dans l'évier d'un geste rageur et remplit son verre — de vodka.

— Où étais-tu ? s'enquit Sharlee, du haut de l'escalier. Je croyais que nous devions parler après la fermeture.

— Nous sommes après la fermeture, et nous parlons. Que se passe-t-il ?

— Cela fait plus d'une heure que j'attends. Où étais-tu ?

— Cela ne te regarde pas.

Sharlee le suivit dans le salon, puis le regarda partir dans la cuisine. Mais pourquoi était-il d'aussi mauvaise humeur ?

Déterminée à ne pas se laisser impressionner, elle le suivit dans la cuisine. Il allait regretter de l'avoir fait attendre, parce qu'elle avait eu tout le loisir de mettre de l'ordre dans ses idées. Et ce qu'elle avait en tête n'allait pas forcément lui plaire.

Il se tenait devant le réfrigérateur, et buvait du lait directement depuis le carton. Un comportement aussi rustre ne méritait même pas une remarque.

D'un coup de pied, il referma la porte et s'assit à la table.

— Tu vas rester plantée là à me regarder toute la soirée ?

— Je pourrais, mais j'ai d'autres préoccupations.

— Comme quoi ?

— Comme…

Elle prit place face à lui et se pencha en avant, trahissant son impatience.

— Dev, je pensais que…

— Attention, danger.

Elle ignora la pique.

— Tu sais combien je souhaite reconstituer l'histoire de la famille.

— Oui, mais je ne comprends pas trop pourquoi.

— Moi non plus, pour l'instant, et il faut que je trouve.

— Bonne chance, dit-il en se levant pour jeter le carton de lait dans la poubelle. Si cela ne te fait rien, je vais…

— Mais si, ça me fait quelque chose ! dit-elle en sautant sur ses pieds et en saisissant le bras de Dev.

Il lui adressa un regard noir, et elle lâcha immédiatement son bras et recula.

— Je veux que tu m'aides à rencontrer oncle Charles.

— Impossible. Alain veille à ce qu'il ne voie personne.

— Tu crois qu'il est vraiment malade, ou Alain cherche-t-il simplement à le tenir éloigné de moi ?

— Peu importe ce que je crois.

— Ton avis compte pour moi.

Ils se fixèrent un moment du regard, puis Dev tourna les yeux et dit sur un ton excédé :

— Sharlee, j'ignore ce que Charles sait, mais quoi que ce soit, Alain ne veut pas qu'il en parle.

— Mais tu as déjà des informations.

Hochant lentement la tête, il dit :

— Je ne peux pas révéler les secrets des autres.

— Mais tu peux révéler les tiens, répondit-elle en lui prenant la main et en le regardant droit dans les yeux. Il y a une chose que j'ai toujours voulu savoir au sujet de ta famille, mais chaque fois que j'en parle, tu restes muet.

Il voyait très bien où elle voulait en venir ; il demanda néanmoins :

— Et de quoi s'agit-il ?

— Ce dont je t'ai parlé à Bayou Sans Fin. Pourquoi est-elle partie vivre là-bas, en vous laissant chez Alain, ton frère, ta sœur et toi ? De notre côté, dans la famille, on n'a jamais compris que tu ne la détestes pas pour avoir fait ça…

13.

Dev sembla avoir reçu un coup de poing en plein ventre.

— Pardon, murmura Sharlee. J'ai toujours eu envie de savoir, mais tu ne m'as jamais vraiment laissé la possibilité de poser la question.

Il respira profondément.

— C'est bon, dit-il d'une voix étranglée. Je porte ce secret depuis trop longtemps. Tu as raison, Sharlee, il y a beaucoup de secrets dans cette famille, mais je n'ai plus aucune raison de garder celui-ci pour moi. C'est seulement... difficile de dire à voix haute ce que tout le monde chuchote.

Il marqua une pause, puis reprit d'une voix plus ferme et plus déterminée :

— Personne n'est au courant, à part moi, Alain et ma mère. Maintenant qu'elle est partie, après tout, qui est-ce que je protège en me taisant ? Mais pas ici. Servons-nous un verre de vin et allons dans le salon. Ensuite, je te raconterai comment et pourquoi ma mère a tiré sur mon beau-père.

Sharlee prit place sur le canapé alors que Dev s'asseyait par terre, et elle posa une main sur son épaule. Il parla et elle écouta, en s'efforçant de ne pas paraître trop compatissante

— il n'aimerait pas qu'elle ait l'air de le prendre en pitié, elle le savait.

— Le seul père que j'aie jamais connu, c'est Alain Lyon, commença-t-il. Il a épousé ma mère quand j'avais environ deux ans. Elle avait un goût affreux en matière d'hommes, la pauvre : mon géniteur était un beau parleur qui l'a mise enceinte et qui a filé ensuite. Naturellement, ils n'étaient pas mariés. Elle travaillait à WDIX-TV, et elle et Alain…

Il soupira et reprit :

— Je suis presque sûr qu'elle l'a épousé pour s'élever dans l'échelle sociale. Lui l'a épousée parce qu'elle était belle. Leur mariage les a déçus. Tu sais, Alain est un homme complexe. Il était à de nombreux égards un bon père, mais un mari très dur — et un ennemi plus dur encore. Toutefois, il s'est montré bon et généreux avec moi ; il m'a traité à égalité avec ses deux enfants. Teresa est devenue religieuse. Tu le savais ?

— Oui, on m'en a parlé.

— Et tu connais Alex, qui est le portrait craché de son père, malheureusement pour lui, ajouta Dev, qui semblait attristé. Quant à grand-père Charles et grand-mère Catherine, ils n'ont jamais aimé ma mère, mais ils m'ont accepté sans problème. Alain et ma mère se sont mariés en 1972 et ont divorcé en 1980. Dit comme ça, ça semble simple, mais ce n'est pas le cas. Alain la trompait et elle le savait. Moi aussi je le savais, et je n'avais que dix ans. Le jour où elle n'a plus supporté cette situation, elle a pris ses enfants et est repartie dans sa maison de famille, à Bayou Sans Fin.

Dev resta silencieux un moment, fixant le vin couleur rubis. Puis :

— Alain est venu nous chercher, bien entendu. Il a insisté pour que nous revenions tous, même elle. C'est lui qui menait le jeu. Elle lui a tenu tête autant qu'elle a put mais il avait l'argent pour lui. Quand elle a fini par céder et lui dire qu'elle allait rentrer, il lui a répondu…

Dev frémit.

— Il lui a répondu que, tout compte fait, il ne voulait plus d'elle. Il voulait seulement les enfants — même moi, bien que je ne sois pas de lui. J'étais dans la pièce quand il le lui a dit, et il était aussi froid qu'un iceberg. Là-dessus, il est parti, il l'a laissée pendant plusieurs semaines sur des charbons ardents, sans passer à l'acte. Puis il est revenu le jour de son anniversaire, et lui a annoncé qu'il nous emmenait.

— Oh, mon Dieu, Dev, dit-elle en serrant son épaule pour se sentir proche de lui. Cela a dû être terrible.

— J'ai refusé de partir, pousuivit-il calmement. Il fallait que quelqu'un reste pour prendre soin de ma mère. J'avais tout prévu, et j'avais même trouvé une cachette dans le bayou où je serais resté le temps qu'Alain se lasse de me chercher. Mais le jour où il est venu, alors que je m'enfuyais discrètement par l'arrière de la maison, je les ai entendus se disputer. Puis il y a eu un coup de feu.

Sharlee sentit son cœur se serrer. Dev semblait l'avoir oubliée tant il était absorbé par ses souvenirs.

— J'ai alors lâché mon sac et je me suis précipité dans la maison, persuadé que ma mère était morte. A la place, j'ai trouvé Alain, le bras ensanglanté.

— Elle lui avait tiré dessus ?

Dev hocha la tête.

— Il semblait très calme, alors qu'elle était hystérique. Il m'a pris par la main pour que nous partions. Mon frère et ma sœur attendaient déjà dans la voiture.

Sharlee éprouvait de la colère contre Alain et de la sympathie pour le petit garçon que Dev était alors. Sans presque s'en rendre compte, elle commença à masser doucement les muscles tendus de son compagnon.

— J'ai répondu que je restais avec maman. Il m'a dit : C'est comme tu veux ; mais si tu décides de rester, ta mère passera la fin de ses jours en prison pour avoir tenté de me tuer. Par contre, si tu me suis, je n'engagerai aucune poursuite. Dans le deal, il y avait une autre clause : elle devait renoncer à la garde de ses enfants, sinon…

Sharlee n'avait jamais rien entendu d'aussi lamentable de toute sa vie.

— Alors elle a accepté ces conditions.

— Elle n'avait pas d'autre choix, précisa Devin en posant son verre vide sur la table de salon. Tu vois, tant que maman était vivante, ce sale petit secret a étouffé chez moi toute tentative de rébellion contre Alain.

Sharlee soupira.

— Pas étonnant que tout le monde ait pensé que tu étais parfait. C'est ce que tu essayais d'être.

— Et j'étais le seul de ses enfants qui restait en contact avec elle. Les autres étaient trop jeunes, au moment de la séparation. Teresa avait cinq ans et Alex seulement deux. Ils ont peut-être oublié, mais pas moi. Et je n'ai jamais cessé de l'aimer, de m'inquiéter pour elle et de m'occuper d'elle, même à distance.

— Un secret si lourd à dix ans… Je ne pense pas que mes parents ni mes grands-parents aient été au courant de cette histoire.

Il leva alors vers elle un visage sombre.

— Je voyais des secrets partout. Les gens venaient… me parler. Je ne comprends pas vraiment pourquoi. Sans doute parce que je ne parle pas beaucoup de moi-même — sauf à toi, bien sûr. En tout cas, j'ai appris à ne rien dévoiler de mes pensées, et j'ai acquis la réputation de quelqu'un à qui l'on peut se confier.

— Et tu n'aimais pas cela ?

— C'est une grosse responsabilité.

— Mon pauvre chéri, dit-elle en lui caressant la joue. J'étais loin de me douter que tu avais vécu des moments aussi horribles. Le seul souvenir que j'aie de ta mère, ce sont des murmures sur « le genre de femme qui peut abandonner ses enfants ». C'est tellement injuste.

— La vie est injuste, Sharlee. Mais ce n'est pas pour autant que nous ne devons pas la savourer.

— Oui.

Sharlee se pencha et déposa un baiser sur la joue de Dev. Ensuite, elle passa les bras autour du cou de celui-ci, appuya son front contre le sien et lui donna de petits baisers sur la bouche.

Elle sentit alors son cœur déborder d'une toute nouvelle émotion. Elle ne s'était jamais sentie aussi proche de lui — et elle lui dit alors comme dans une prière :

— Emmène-moi jusqu'à ton lit et fais-moi l'amour, Devin Oliver, murmura-t-elle à son oreille. Oublions tous nos problèmes et ne pensons qu'à nous deux pendant au moins un moment…

Lentement, ils se déshabillèrent mutuellement à la lumière de la lune qui filtrait par les portes-fenêtres ouvertes. Puis ils se caressèrent doucement, sensuellement, avec adoration et en se souriant.

Rien de mal ne pouvait leur arriver, ce soir. Ils pouvaient prendre tout leur temps. Ils étaient ensemble comme ils ne l'avaient jamais été auparavant. Tout était parfait… Si parfait…

— Oh, Dev, murmura Sharlee. Je n'aurais jamais cru que cela puisse être si bon.

— Femme de peu de foi.

Elle sentit les lèvres de Dev contre sa peau. Il embrassait

sa gorge. Du bout de la langue, il la taquina, puis explora de ses belles mains viriles les courbes de ses hanches.

Et tandis qu'il l'étreignait pour lui faire sentir combien il la désirait, elle s'accrocha à lui, tremblant comme une feuille, puis noua les jambes autour de lui. Alors il la pénétra d'un mouvement de reins.

Ils se plaquèrent contre le mur, haletants, s'aimant de toutes leurs forces. C'était passionné, et Sharlee ne demandait que cela. Dev l'embrassa à pleine bouche, leurs souffles se mêlèrent dans un baiser qui les laissa hors d'haleine.

Puis, très vite, l'orgasme les foudroya. Avant qu'ils ne recouvrent leur frénésie d'amour et recommencent…

En se réveillant dans les bras de Dev, Sharlee dut admettre que la nuit dernière avait été une catastrophe pour une femme qui prétendait pouvoir quitter la ville sans le moindre regret. Elle avait cru en être capable, mais elle reconnaissait qu'elle s'était trompée. Avec un petit gémissement d'apitoiement sur elle-même, elle se blottit un peu plus contre lui et refusa d'ouvrir les yeux.

Il lui avait confié ses secrets, mais elle ne pouvait lui confier les siens, du moins pas le plus important : elle était de nouveau amoureuse de lui. En revanche, il y avait quelque chose qu'elle pouvait lui avouer.

— Allez, réveille-toi, belle endormie, dit-il en caressant les fesses nues de la jeune femme. Cela fait bientôt une heure que j'attends que tu cesses de ronfler.

— Je ne ronfle pas, rétorqua-t-elle en lui donnant une petite tape.

— C'est vrai. Mais tu as un charmant petit grognement quand je te touche juste…

— Stop ! dit-elle en roulant sur le dos.

Ouvrant les yeux, elle lui sourit et dit :

— Je suis réveillée.

Il posa alors une main sur son sein gauche et commença à pétrir la chair tendre.

— Tu peux être encore plus réveillée.

— C'est… vrai, répondit-elle d'une voix mal assurée.

La caresse de Dev lui coupait le souffle et elle commençait à ressentir une chaleur au creux du ventre.

— Dev, commença-t-elle en lui prenant la main. Tu m'as parlé de ta mère hier soir. C'est à mon tour de te parler de la mienne.

— Je suis au courant, répondit-il en se penchant vers la jeune femme pour prendre son sein dans sa bouche.

Il en mordilla gentiment la pointe, l'effleura de la langue. Elle gémit.

— C'est bien ce genre de soupir dont je te parlais tout à l'heure, dit-il. Alors tu voulais me parler de Gaby ?

Sharlee tenta de rassembler ses esprits.

— La principale raison pour laquelle je suis restée si longtemps loin de La Nouvelle-Orléans, c'est parce qu'elle refusait de me donner mon argent, expliqua-t-elle aussi simplement et honnêtement qu'elle le put. Grand-père a ouvert des comptes bloqués pour nous tous — Leslie, moi et Andy-Paul. Les a eu accès au sien à son vingt et unième anniversaire, mais moi… J'attends toujours.

— Tu t'es fâchée avec ta famille pour des questions d'argent ?

— Non ! Pour ce que leur refus représente. Tu comprends ?

— Tu vas sans doute avoir besoin de m'expliquer.

— Il s'agit d'une question de confiance et de respect. De me laisser prendre ma place comme un adulte de la famille.

— Ma douce, comment pourraient-ils savoir que tu as mûri, alors que tu es partie depuis si longtemps ?

Il prit ensuite le visage de la jeune femme entre ses mains et, la regardant dans les yeux, lui déposa un léger baiser sur les lèvres.

— A tort ou à raison, tes parents ont cru agir pour ton bien.

Elle sentit la vieille blessure de sa fierté se rouvrir, et elle ouvrit la bouche pour lui faire part de sa façon de penser. Mais il y avait quelque chose dans l'expression de Dev, une tendresse inhabituelle qui signifia à Sharlee qu'il n'essayait pas de lui faire du mal, mais seulement de suggérer qu'elle pourrait bien se tromper.

Elle sentit sa colère s'apaiser et elle commença à rire, et bientôt il rit avec elle. Quand elle fut de nouveau en mesure de parler, elle dit :

— Pour mon bien ! C'est toujours ce que disent les parents quand ils te brisent le cœur, tu sais ?

— Et si c'était vrai ?

— Même si c'est vrai, c'est nul !

Et elle se remit à rire, incapable de s'arrêter. Il la tint contre lui jusqu'à ce que les rires cèdent la place aux larmes, et il continua de la tenir contre lui. Finalement, elle se recula en reniflant et dit d'une voix serrée :

— J'ai eu une affreuse dispute avec maman le jour où papa et elle m'ont annoncé qu'ils gardaient mon argent tant qu'ils n'auraient pas la certitude que je sois « suffisamment mûre pour l'employer intelligemment ». Je suis partie de la maison en claquant la porte, et nous sommes restées à nous disputer sous le porche de Lyoncrest.

— Pauvre Sharlee.

Elle lui adressa un regard reconnaissant.

— Mon anniversaire est en janvier, et je devais terminer

l'université seulement quelques mois plus tard. Maman voulait que je revienne à Lyoncrest, pour s'assurer que j'étais prête à assumer la responsabilité de ce maudit compte bloqué. J'aurais pu travailler à WDIX…

Sharlee frappa rageusement l'oreiller.

— Je leur ai dit de garder leur maudit argent, que je ne remettrais jamais les pieds à Lyoncrest de ma vie, et qu'il gèlerait en enfer avant que je n'aille travailler à WDIX.

Son regard croisa celui de Dev, et elle se sentit horriblement vulnérable.

— Ce n'est pas l'argent, Dev. Non, c'est cette manie de vouloir contrôler les autres.

— Je te crois, dit-il en caressant doucement le dos de Sharlee.

Et elle le crut aussi, à son plus grand étonnement.

— Tu sais, je me sens mieux de t'en avoir parlé, avoua-t-elle. Je n'en ai jamais parlé à personne, excepté à Leslie, l'autre jour à Jax, parce que… Eh bien, tu sais, ils pensaient tous que j'étais une mercenaire, ce qui n'est pas le cas. J'ai de nombreux défauts, mais pas celui-là.

Elle passa légèrement ses ongles sur le torse de Dev, s'amusant de le voir frémir.

— Et voilà un secret de plus révélé au grand jour. Quel dommage que je n'aie pas le temps de déterrer tous les autres.

Il posa la main sur celle de Sharlee.

— Tu envisages réellement de partir, n'est-ce pas ?

Elle hocha la tête.

— Je le dois. Sinon, un de ces jours, je vais me réveiller et je découvrirai que j'ai quarante ans et que je suis toujours serveuse au Bayou Café.

— Ce n'est pas si mal, répondit-il d'une voix absente.

— Certes, mais si je pars avant de savoir… Dev, tu es le

seul à pouvoir m'aider. Il faut que j'apprenne la vérité sur la famille, et ensuite je pourrai peut-être reprendre le cours de ma vie. Acceptes-tu de m'aider ? S'il te plaît ? S'il te plaît.

Nom d'un chien, elle lui avait présenté une demande raisonnable. Elle avait le droit d'en connaître au moins autant que lui au sujet de sa famille. Toutefois, il ne pouvait pas être celui qui lui dirait tout — pour de nombreuses raisons.

A cause de Margaret surtout.

Observant le visage sérieux de Sharlee. Qu'on lui dise ou non la vérité, qu'on lui donne ou non son argent, Sharlee ne se laisserait pas manœuvrer par sa famille. Si elle renouait avec eux, ce serait son choix et pas le leur. Pourquoi ne voulaient-ils pas comprendre ?

— Alors ? demanda Sharlee en se penchant sur lui. J'en ai assez que l'on me protège de moi-même. Aide-moi.

— D'accord, finit-il par dire sans savoir exactement à quel moment il avait pris sa décision. Je t'aiderai.

— Youpi ! s'exclama-t-elle, avant de l'embrasser. Quand ?

— Aujourd'hui. Nous partirons tôt. Felix a une cousine qui meurt d'envie de travailler ici, et je suis sûr qu'il peut la faire venir pour un essai. Alain doit assister à un conseil d'administration à WDIX et Charles sera seul. Je te ferai entrer pour que tu le voies.

— Oui !

Elle sauta hors du lit, sans se soucier de sa nudité. Attrapant une serviette qui se trouvait accrochée derrière la porte de la chambre, elle s'en enveloppa.

— Tu ne le regretteras pas, lui promit-elle joyeusement. Je te le jure.

Il espéra qu'elle non plus ne le regretterait pas…

*
* *

Une fois Dev en bas pour aider à préparer la salle pour le déjeuner, elle se précipita sur son ordinateur afin de vérifier sa messagerie. Elle avait reçu un message de Jere Bryce, et elle cliqua dessus avec des doigts tremblants.

> « Désolée, fillette, mais tu n'as pas décroché le gros lot : pas suffisamment d'expérience. En revanche, Lisa Bing cherche quelqu'un pour la rubrique “style de vie”, et je lui ai donné ton nom. Je sais que tu aspires à autre chose, mais ce serait un bon point de départ chez nous. J'espère que tu ne m'en voudras pas de m'en être mêlé. Lisa devrait bientôt te contacter. C'est une excellente journaliste, et tu pourrais tomber sur pire. »

— Bon…, dit doucement Sharlee, dont le cœur battait si vite et si fort qu'elle pouvait à peine respirer.

Jere avait raison : ce n'était pas le poste de ses rêves, mais elle l'accepterait sans hésitation si elle avait la moindre chance.

San Francisco était loin de La Nouvelle-Orléans. Elle regarda autour d'elle. Elle savait depuis son retour ici qu'elle n'était que de passage. Seulement, elle avait cru qu'elle pourrait repartir le cœur léger, sans états d'âme. Hélas, cela risquait de ne pas être le cas. Il lui semblait même qu'elle aurait des scrupules.

Surtout à quitter Devin.

Elle l'aimait — bon sang, elle en avait maintenant la certitude. Mais il y avait trop d'années gâchées et trop de larmes entre eux. Il était d'ici ; elle était d'ailleurs — c'était aussi simple et compliqué que cela. Vraiment, elle ne cherchait plus à se venger…

Cette prise de conscience la fit frémir. Elle ferma sa messagerie et éteignit son ordinateur. L'éventualité d'un job en Californie lui donnait une nouvelle impulsion pour découvrir tout ce qu'elle pourrait au sujet de sa famille avant de partir. Et vite.

Sharlee ne se rappelait pas être jamais entrée dans la superbe et spacieuse maison de l'autre branche de la famille Lyon. Même si la maison d'Alain se situait, elle aussi, dans Garden District, elle se trouvait à l'opposé par rapport à Lyoncrest. Et comme ni Charles ni Alain n'étaient particulièrement sociables, les événements familiaux se déroulaient systématiquement à Lyoncrest.

Dev se gara le long du trottoir, devant la maison, et ils passèrent une grille de fer forgé croulant sous une vigne vierge si dense qu'elle formait une sorte de passage couvert jusqu'à l'entrée. Retirant une clé de sa poche, il l'inséra dans la serrure. Ils entrèrent ensuite dans une entrée décorée de marbre et de meubles en essences précieuses de bois.

Une femme d'une cinquantaine d'années vêtue d'une robe noire et d'un tablier blanc descendit d'un large escalier arrondi, et elle s'arrêta net. Visiblement surprise de les voir, elle adressa un sourire forcé à Dev, puis continua de descendre.

— Comment allez-vous, Lorraine ? dit-il.

— Très bien, merci. Euh... Votre père est sorti.

— Nous ne sommes pas venus voir Alain. Est-ce que mon grand-père est ici ?

La domestique montra des signes d'impatience et parut embarrassée.

— J'ai peur que... M. Charles ne soit pas en état de recevoir des visiteurs.

— Alors il est ici ?

— Non, répondit-elle précipitamment. Il est... M. Alain l'a emmené chez le médecin.

— Tiens, c'est drôle. Je pensais qu'Alain serait au conseil d'administration de WDIX, cet après-midi.

Lorraine rougit.

— Normalement, mais pas aujourd'hui. Il…

C'est alors que des notes de piano s'échappèrent d'une autre pièce. Lorraine sursauta et lança un regard inquiet par-dessus son épaule.

Dev sourit.

— Je crois bien que Charles est revenu sans vous prévenir, Lorraine. Nous allons le saluer.

— S'il vous plaît, non, dit-elle en levant les mains en l'air. M. Alain a dit que personne ne devait déranger son père.

— Je ne crois que ma visite le dérange.

— C'est justement vous que M. Alain ne veut pas ici, lâcha Lorraine. Il m'a bien précisé que vous ne deviez pas entrer.

Le corps de Sharlee se crispa à la perspective d'être jetée dehors. Or, seul Dev pouvait lui permettre de parler au vieil homme.

Dev restait pour sa part imperturbable. Il agita son trousseau de clés au nez de Lorraine et dit :

— Et si vous ne nous aviez pas vus aujourd'hui, d'accord ? Faisons comme si vous n'étiez pas en train de descendre l'escalier et que j'étais venu à un moment où vous étiez occupée ailleurs ?

— Mais je vous ai vu.

— Mais non, vous ne m'avez pas vu.

Dev posa ensuite les mains sur les épaules de la domestique, il la fit se tourner, puis la poussa doucement vers l'escalier.

— Je veux seulement parler avec mon grand-père. Il n'y a aucun mal à cela.

Pendant une minute, il crut que Lorraine allait se retourner et refuser, mais elle finit par redresser les épaules et elle remonta l'escalier sans regarder en arrière.

Sharlee laissa échapper un soupir de soulagement.

— Il s'en est fallu de peu.

— Je ne crie pas victoire pour autant. Je ne suis pas persuadé de l'avoir convaincue, et nous ferions mieux de ne pas traîner. Elle pourrait très bien appeler Alain depuis l'une des chambres de l'étage.

Sharlee frissonna.

— Je suis prête. Allons-y.

Les notes de la romantique *Lettre à Elise,* de Beethoven, leur montrèrent le chemin. Arrivés à la porte du salon, ils s'arrêtèrent pour se laisser imprégner par la musique.

Charles était assis au piano, ses mains se déplaçaient sur les touches, un peu plus lentement qu'un pianiste plus jeune, mais avec une grande assurance et une grande sensibilité. Dev, qui avait grandi en entendant le vieil homme jouer, ne fut pas surpris — contrairement à Sharlee, qui dévisageait Charles avec une expression étonnée.

Son beau et magnifique visage. Un sentiment plus profond que tout ce qu'il avait pu imaginer submergea Dev, le surprenant par son intensité. Il eut envie d'enlacer la jeune femme, de la tenir toujours contre lui et de la protéger de tous les dangers et les blessures susceptibles de l'atteindre.

Ce qui, bien entendu, était impossible. Elle refusait que quiconque veille sur elle. Oui, elle voulait s'en charger elle-même, et de préférence à l'autre bout du pays, pensa amèrement Dev.

Elle s'avança dans la pièce, et Charles leva les yeux du clavier. L'air confus, il cessa de jouer.

— Grand-père, c'est moi, Dev, dit-il en s'avançant derrière Sharlee.

— Dev ?

Pendant un moment, Charles sembla ne même pas reconnaître le nom. Puis il fronça les sourcils.

— Ah oui, Dev. Le fils d'Alain.

— Et je te présente Charlotte Lyon. Tu te souviens d'elle ? Elle est la fille d'André.

Sharlee s'approcha en lui tendant la main.

— Je vous ai vu récemment Chez Charles, lui rappela-t-elle. Vous vous en souvenez ? Ce jour-là, je vous ai dit que je viendrais vous rendre visite.

— La fille d'André… Alex a dit que vous étiez de retour, et que vous habitiez avec Dev. Aucune morale, comme votre père, dit-il avec une moue méprisante. Alain a dit…

Mais il s'arrêta au milieu de sa phrase, comme s'il était incapable de se souvenir de ce qu'Alain avait dit.

Dev lança un coup d'œil à Sharlee et il lut son étonnement quand elle comprit qu'Alex l'avait trahie. S'agenouillant près du piano, il s'adressa à son grand-père.

— Charlotte cherche à reconstituer l'histoire de la famille, et tu connais la famille Lyon mieux que personne. J'espère que tu vas pouvoir répondre à quelques questions pour elle.

— Pourquoi ? Pour qu'elle dise que je suis fou ?

— Personne ne pense que tu es fou, grand-père, et surtout pas moi. Je pense que tu as connu des moments difficiles dans ta vie, ce qui n'était pas forcément ta faute.

— Paul le croit. Margie le croit. Ils me détestent.

— Non, protesta Sharlee. Je sais qu'il y a des ressentiments entre votre branche de la famille et la mienne, mais croyez-moi, personne ne vous déteste.

— Qui êtes-vous, jeune fille ? demanda Charles avec un regard soupçonneux.

— La fille d'André, Charlotte, répéta patiemment Dev. Veux-tu répondre à ses questions ? Elle ne demande rien d'autre. Elle est prête à entendre la vérité, quelle qu'elle soit.

Vraiment ? se demanda Dev en lui jetant un coup d'œil.
Elle acquiesça d'un signe de tête.

— Venez vous asseoir sur le canapé, où vous serez plus à l'aise, proposa-t-elle. Et vous vous arrêterez quand vous voudrez.

Charles l'observa de ses yeux bleus.

— Vous êtes plutôt jolie. Mais pas aussi jolie que Margie. Margie était la plus belle femme que j'avais jamais vue.

Sharlee et Dev échangèrent des regards étonnés. Celui-ci n'avait en effet jamais entendu Charles parler de sa belle-sœur qu'avec mépris ou colère.

— J'ai vu des photographies de grand-mère jeune femme, dit Sharlee tout en aidant Charles à se lever.

Lentement, elle l'emmena vers le canapé.

— Vous la connaissiez avant qu'elle n'épouse Paul ?

— Je l'ai connue, oui. Avant, après, et entre les deux, dit-il de manière sibylline.

Charles se laissa tomber sur le canapé, mais il ne s'appuya pas contre les coussins du dossier. Il joignit les mains sur les genoux et se pencha vers Sharlee pour s'expliquer

— Entre les deux, répéta-t-il doucement. Avant que Paul ne revienne d'entre les morts… elle a failli m'épouser.

14.

Sharlee s'assit sur la table basse devant le vieil homme, tellement abasourdie qu'elle était incapable de parler. Un regard rapide à Dev lui apprit que lui aussi était sous le choc.

Charles et Margaret… avant que Paul ne revienne d'entre les morts ?

— Tout le monde aimait Paul, reprit Charles sur un ton amer. Ce devait être à cause de sa voix… Parce qu'il n'était pas franchement sympathique, à côté de ça. Il n'a jamais accordé la moindre attention aux autres. Tout ce qui l'intéressait, c'était sa petite personne, et la station de radio. Il aimait cette maudite station autant que je la détestais — mais je ne comptais pas. Personne ne me demandait mon avis.

— Moi, je te le demande, oncle Charles. Que voulais-tu ?

— Faire une carrière de concertiste, répondit-il immédiatement. J'aurais pu, si au moins mon père…

Il ne termina pas sa phrase, mais sa voix exprimait une profonde tristesse. Sharlee savait que son grand-père Alexandre avait toujours eu des projets bien arrêtés concernant tous les membres de sa famille, et personne n'osait le contredire.

Elle éprouva une compassion inattendue pour Charles. Peut-être ne devait-on pas le blâmer d'éprouver autant de ressentiment…

— On ne me trouvait aucune qualité, reprit Charles avec

un air grave. Mais quand Margie est revenue de l'université avec son bâtard et que Paul l'a quittée, je n'étais pas si mal que cela.

— De quoi parlez-vous ? demanda Sharlee en se penchant vers le vieil homme. Margaret a eu un autre fils, à part André ?

— Je parle bien d'André, répondit Charles, visiblement agacé que Sharlee ait du mal à comprendre. Il n'est pas le fils de Paul. Il n'est même pas un Lyon.

Le pauvre homme avait-il perdu la tête ?

— Pourquoi dites-vous une telle chose ?

— Parce que c'est la vérité. Il n'y a qu'à savoir compter — ce que Paul a fait, du reste. Comparez la date de leur mariage et la date de naissance d'André, et vous verrez bien.

Même s'il s'agissait vraisemblablement des divagations d'un vieil homme, Charles parlait avec une telle conviction que Sharlee en frémit. Elle se tourna vers Dev, mais il gardait un visage impassible.

Impassible par prudence ?

— Peu importe, dit Charles d'une voix plus ferme. Après ça, Paul est parti en Europe comme correspondant de guerre, mais en vérité, il cherchait à fuir sa fiancée infidèle. Tout le monde partait pour la guerre, sauf moi. Mais était-ce ma faute si j'avais été réformé à cause de mon asthme ? Toutefois, c'était une bonne chose que je sois resté, parce qu'il fallait bien que quelqu'un tienne Margie ! Est-ce que j'ai reçu le moindre remerciement pour avoir dirigé les affaires ? Pourquoi est-ce que l'on me réservait toujours le sale boulot ? Heureusement, Margie était là. Nous travaillions ensemble chaque jour. Je m'occupais d'André comme de mon propre fils, et je sais que Margie en était consciente. Puis la guerre s'est terminée — mais Paul n'est pas rentré à la maison comme les autres GI, et j'ai cru que j'aurais une chance…

Ce n'était pas vraiment ce que Sharlee s'attendait à

entendre, mais qu'attendait-elle au juste ? Des petites choses, des chamailleries oubliées depuis longtemps. Peut-être des histoires de rivalité professionnelle, de sentiments froissés, des incompréhensions… Soudain, elle se demanda si elle ne venait pas d'ouvrir la boîte de Pandore.

— C'est Margaret qui a eu l'idée de nous lancer dans l'aventure de la télévision, confia Charles. Je lui apportais mon soutien uniquement parce que je souhaitais me faire bien voir. Et puis, un jour, elle a retrouvé Paul. Saoul. Dans un caniveau. Et elle l'a traîné jusqu'à Lyoncrest. C'est alors que tout m'a explosé à la figure.

— Je n'arrive pas à croire…

Un léger contact sur son bras stoppa la colère de Sharlee, et Dev lui fit signe de se taire.

— Quand cela s'est-il passé, grand-père ? En 1946 ? 1947 ?

— Plus tard. En 1948 ou 1949. Margie n'avait eu aucune nouvelle de lui depuis plusieurs années. Tout le monde pensait qu'il était mort. Tout le monde, sauf elle. Elle n'arrêtait pas de répéter qu'il reviendrait.

De toute évidence, le retour de son frère ne constituait pas un bon souvenir pour Charles.

— Qu'est-il arrivé ensuite, oncle Charles ?

— J'ai compris que j'avais perdu la partie. J'ai laissé Margie et Paul à leur sottise, dit-il avec un petit rire sec. Elle a réussi à lui enfoncer dans le crâne que la télévision, c'était l'avenir, alors nous avons passé un accord. Ils s'occuperaient de la station de télévision, et moi je m'occuperais des véritables affaires de la famille : WDIX Radio. Papa n'était pas très enthousiaste de voir la direction partagée en deux, mais nous avons réussi à le convaincre. Pauvre papa… Ils l'ont finalement embobiné et, à sa mort, ils ont hérité de soixante pour cent de Lyon Broadcasting et moi, seulement quarante. Voilà comment j'ai été remercié pour mes années de travail et de dévouement, alors que Paul buvait, fréquentait les prostituées et fuyait ses responsabilités. C'est pourquoi André dirige tout aujourd'hui, à la place d'Alain, l'héritier de plein droit des Lyon.

Sharlee commençait enfin à comprendre.

— Vous détestez mon père à cause de ce que votre *propre* père a écrit dans son testament ?

Charles parut outragé.

— Je ne déteste pas André. Je vous l'ai dit, j'étais comme un père pour lui, alors que Paul refusait même de reconnaître son existence.

— C'est étonnant, remarqua Sharlee, alors qu'ils ont l'air si proches.

— J'étais là, répliqua Charles. Paul savait qu'André était le bâtard de Margaret. Mais à la fin, il la voulait tellement qu'il était prêt à passer l'éponge sur son infidélité. Mais un de ces jours, Alain prouvera qu'André n'est pas un vrai Lyon. Et quand ce jour viendra…

Charles ne termina pas sa phrase et fixa ses deux visiteurs du regard.

— Il ne peut pas le prouver, parce que ce n'est pas vrai, dit Sharlee, tout en sachant qu'elle ne pourrait pas faire changer le vieil homme d'avis.

Il ne s'agissait toutefois que d'une version de l'histoire, et elle était de toute évidence orientée.

— Pourquoi menez-vous cette vendetta ? Que reprochez-vous à mon père ?

— Il a sali le nom des Lyon et il n'est même pas l'un des nôtres, répondit amèrement Charles. C'était un gentil garçon, mais en grandissant, il est devenu comme Paul, un play-boy et un coureur de jupons. Si Margie et Gabrielle ne l'avaient pas repris en main, Dieu sait ce qu'il serait devenu. Bon débarras, d'ailleurs. Dommage qu'elles se soient occupées de lui. Sans elles, Alain aurait accédé à la place qui lui revient de droit.

Le cœur de Sharlee se serra douloureusement.

— Vous ne semblez pas aimer ma mère, non plus.

— C'est une traînée qui met son nez partout. Son premier mari, à condition qu'ils aient été mariés, était une sale petite ordure qui…

— Cela suffit, l'interrompit Dev.

Sharlee lui adressa un regard reconnaissant. Peu importait les griefs qu'elle-même avait contre sa mère, elle ne voulait pas entendre Charles la salir plus.

— Vous ne pouvez changer l'histoire, dit Charles. Gabrielle a épousé votre père — s'il est bien votre père — pour le pouvoir. Ensuite, elle a tout fait pour monter André contre Alain. Le jour où Paul a fait sa seconde attaque…

— Continue, grand-père, l'encouragea Dev.

— Ce n'était pas la faute d'Alain, expliqua Charles sur un ton mauvais. Il n'y pouvait rien si Paul était contrarié.

— Qu'a dit Alain ?

— La vérité. Que l'acte de naissance n'était pas… Que Gabrielle… Qu'André avait seulement épousé une traînée qui le quitterait dès que… les registres de l'église ne…

Charles s'interrompit et reprit d'une voix plaintive :

— Paul avait le droit de savoir, non ? Mais c'est à Alain qu'ils en ont tous voulu quand Paul a eu son attaque. Tuez le messager qui apporte des mauvaises nouvelles ! Ils me détestent, moi et les miens, et le sentiment est partagé.

— Faux, dit Dev. Tante Margaret a toujours espéré qu'une réconciliation soit possible.

Charles ricana.

— Quand les poules auront des dents !

— Réfléchis, grand-père. Ton frère et toi vieillissez. Pourquoi s'accrocher à une vieille querelle de famille qui dure depuis cinquante ans ?

Charles sembla confus.

— Si longtemps ? Parfois, j'ai l'impression que c'était hier. Nous étions tous jeunes, alors, et la vie était tellement plus simple…

— Que se passe-t-il ?

La voix d'Alain fit sursauter Sharlee de surprise. Il entra dans la pièce, congestionné de colère.

Charles, perturbé, fut pris par une quinte de toux.

— Je croyais que tu assistais au conseil d'administration, Alain, dit Dev en se relevant.

— J'y étais jusqu'à ce que Paul ait un malaise et annule la réunion. N'avez-vous pas honte de harceler mon père de cette manière, vous deux ?

Charles toussa une dernière fois avant de se redresser, ses yeux larmoyants. Il regarda Dev et Sharlee comme s'ils l'avaient vraiment obligé à parler.

— Désolée, oncle Alain, dit Sharlee. Nous ne voulions pas le tourmenter. Nous étions seulement venus pour… parler.

— Parler ? Dis plutôt que tu essayais de tirer les vers du nez à un vieil homme. Tu devrais avoir honte de toi, Charlotte.

— Du calme, intervint Dev en s'interposant. Charles se portait très bien jusqu'à ton arrivée.

— Vraiment ? Et comment peux-tu le savoir, espèce de blanc-bec ingrat ?

Se tournant vers Sharlee, il ajouta :

— Toujours à fouiner dans les histoires de famille ? Tu essaies de nous salir pour le compte de ton père ? Si tu as vraiment envie d'entendre des secrets, je vais t'en raconter un.

Elle ne le croyait pas, mais elle acquiesça néanmoins.

Pointant un doigt sur sa poitrine, Alain déclara :

— J'étais le seul Lyon à ne pas condamner ta liaison avec

mon beau-fils, tu le savais ? Tous les autres pensaient qu'il n'était pas assez bien pour toi. Mais moi, avec ma loyauté aveugle…

Dev laissa alors échapper un petit rire tendu.

— Du calme, Alain, ou je lui explique la raison de ton soutien.

— N'essaie pas de changer de sujet. La vérité, c'est qu'après avoir compris que sa branche de la famille ne vous laisserait pas tranquilles, tu ne pouvais pas courir assez vite.

Alain dirigea alors sa colère vers Sharlee.

— Il te courait après uniquement pour assouvir ses propres ambitions, et non parce qu'il te trouvait irrésistible.

— Fais attention à ce que tu dis, gronda Dev.

— Partons, le pressa Sharlee en lui prenant le bras. Cela ne sert à rien de rester.

Mais Dev banda son biceps, comme s'il s'apprêtait à frapper Alain.

— Je ne sais pas si j'en ai terminé ou…, répondit Dev.

— Moi je sais.

Se tournant vers Charles sans lâcher le bras de Dev, elle dit :

— Merci de nous avoir parlé. Nous ne cherchions pas à vous importuner.

— La vérité, toute la vérité et rien que la vérité, répondit le vieil homme.

— Au revoir, Alain.

Sharlee venait de décider qu'il ne méritait plus d'être gratifié du nom affectueux d'oncle Alain.

— Ne t'avise pas de revenir, Charlotte.

— Je ne pense pas que ce sera nécessaire.

Les quelques pas qui les séparaient de la porte d'entrée lui parurent les plus difficiles de sa vie.

Sur le chemin du retour au Bayou Café, elle déclara :

— Nous devons parler de tout ça.

— Je sais.

— Quelle est la part de vérité dans les récits d'Alain et Charles ?

— D'après ce que je sais, une grande partie. Mais pas tout. Et Charles a un peu arrangé la réalité, bien entendu.

— Mais pas au sujet de mon père. Pourquoi raconteraient-ils de telles choses ?

— Parce qu'ils les croient, Sharlee. Ils n'ont jamais voulu croire que Paul était le père d'André. Charles a élevé ses enfants dans cet esprit, et Alain après lui.

— Et toi, qu'en penses-tu ?

Dev, si pondéré, ne pouvait sérieusement croire à l'histoire de Charles.

— Dès que j'ai été suffisamment grand pour faire la part des choses, j'ai compris que ce n'était pas vrai, dit-il. André est un Lyon, et cela ne fait aucun doute.

Sharlee éprouva un profond soulagement.

— Est-ce que Charles et Alain ont quoi que ce soit en leur possession qui puisse nuire ?

— Si c'était le cas, ils s'en seraient déjà servi et Alain serait à la tête de WDIX aujourd'hui, crois-moi. André est le seul obstacle entre eux et ce qu'ils considèrent comme leur dû — le contrôle absolu de l'entreprise familiale.

La jeune femme réfléchit un moment, puis dit :

— D'accord, je comprends. Mais toi ? Tu sembles aussi certain de ton point de vue qu'eux le sont du leur.

Avec un bref sourire, il répondit :

— Margaret Lyon est la femme la plus déterminée au monde dès qu'il s'agit de sa famille. Elle ne reculerait devant rien pour la protéger. Ce qui parfois l'incite à commettre des erreurs. Mais elle agit toujours par amour et loyauté.

— A-t-elle vraiment dit qu'elle souhaitait que Charles et Paul se réconcilient ?

Il hocha la tête.

— Elle s'inquiète pour Paul. Elle veut que toutes les difficultés soient aplanies avant qu'il ne soit trop tard.

— Des difficultés… comme moi.

— Oui. Et toi, qu'en penses-tu ?

— Je ne sais pas. Il faut que je digère tout ça. Au sujet de ce qu'Alain a dit à propos de toi et moi…

— Que j'avais jeté mon dévolu sur une jeune proie innocente pour assouvir mes ambitions ?

— Oui.

Il se gara devant le garage où il gardait sa Mercedes et se tourna vers Sharlee.

— Sharlee, tu ne vas pas croire une chose pareille ?

— Non… D'un autre côté, je n'ai jamais compris pourquoi tu avais subitement changé d'attitude. Cette lettre était un incompréhensible revirement pour moi.

— Je t'ai déjà dit combien j'étais désolé.

Il appuya sur le bouton d'une télécommande et la porte du garage s'ouvrit lentement.

— Pourquoi l'avoir écrite ? Pourquoi n'es-tu pas venu me voir pour m'expliquer ce qu'il se passait ? Nous aurions pu affronter les problèmes ensemble.

Dev entra dans la pénombre du garage et coupa le moteur.

— N'as-tu jamais pensé que je me sentais incapable de te dire ces choses de vive voix ? Que je craignais, si je le faisais, de ne pas avoir le cran de m'y tenir ?

Elle réfléchit un moment, puis répondit :

— Non, je n'y ai jamais pensé. C'est ce qui est arrivé ? Tu n'avais pas d'autres raisons pour me briser le cœur ?

— Qui compte les raisons ? demanda-t-il sur un ton léger.

Mais Sharlee sentit qu'il ne souhaitait pas poursuivre cette discussion.

— Ecoute, tu voulais connaître les secrets de la famille, et je pense que tu as été bien servie. Tu ne t'en mords pas les doigts ?

— Je... Non, répondit-elle en relevant fièrement le menton. Je ne regrette pas.

Mais il s'agissait peut-être de fanfaronnade.

Le message qu'elle attendait avec impatience était arrivé sur le répondeur de l'appartement : la responsable de la rubrique « style de vie » du *Globe* de San Francisco souhaitait la rencontrer. Serait-elle disponible en fin de semaine ?

Elle rappela Lisa Bing et lui confirma sa venue, puis elle appela l'aéroport pour connaître les horaires des vols avant de se mettre à réfléchir et hésiter.

Il y avait un avion qui partait le lendemain à 14 heures. Le prix d'un aller simple représentait toutes ses économies, mais elle serait à bord de cet avion.

Ensuite, les doutes commencèrent.

Devait-elle partir sans un mot ? Devait-elle annoncer à Dev qu'elle partait ou bien simplement partir ? Le dire à son grand-père ? A ses parents ?

Elle n'avait besoin de rien de leur part, se rappela-t-elle. Elle avait suffisamment d'argent pour acheter son billet et survivre — à peine — le temps de toucher sa première paie. Et elle pensait que cela ne serait pas bien long.

Cela ne *pouvait* pas être long.

Elle décrocherait cet emploi, et il la mènerait jusqu'à la carrière dont elle rêvait tant. Elle allait trouver sa voie professionnelle, et elle y parviendrait sans eux. Après tout, ils pouvaient le garder, leur maudit argent ! Et leurs secrets avec lui. Plus rien de tout cela ne l'intéressait.

Et cela valait aussi pour Devin Oliver.

Pendant son service, le soir, elle s'efforça de ne pas le regarder, de ne pas penser à lui, mais cela s'avéra impossible quand il était dans la salle de restaurant. Elle pouvait sourire et plaisanter avec les clients, prendre et apporter les commandes, mais elle n'était pas complètement concentrée sur son travail.

Si elle n'y prenait pas garde, Dev pourrait bien redevenir le centre de son univers.

Or, elle ne voulait pas que son univers se limite à La Nouvelle-Orléans. Elle n'y était plus chez elle. Elle ne savait pas où elle pourrait être chez elle, mais elle continuerait de chercher jusqu'à ce qu'elle trouve un endroit qui parle à son cœur. Et quand elle l'aurait trouvé, elle pourrait enfin y poser ses valises.

Dev, qui portait un plateau de verres d'eau, s'arrêta en passant à côté d'elle. Comme toujours, il aidait là où l'on avait besoin de lui : débarrasser les tables, encaisser, aider Felix en cuisine.

— Tu vas bien ? demanda-t-il à Sharlee.

— Bien sûr. Pourquoi cette question ?

— Tu sembles ailleurs.

— J'ai beaucoup de choses en tête, répondit-elle en haussant les épaules.

— Ne laisse pas ce que Charles a raconté te perturber. Tu n'as entendu qu'une seule version de l'histoire.

— J'imagine.

— Tu n'as pas envie de connaître l'autre version ?

— Je ne sais pas. Je ferais sans doute mieux de laisser tomber, puisque j'ai d'autres projets.

— Tu as d'autres projets, Sharlee ? Vraiment ? Après tout,

c'est ta vie, ajouta-t-il avec une certaine déception. Fais comme tu voudras. Comme d'habitude, n'est-ce pas ?

Elle passa la nuit avec lui parce qu'elle n'aurait pas pu s'en empêcher.

Quand il tendit la main vers elle, comment aurait-elle pu résister ? Elle la lui prit et le suivit jusqu'à sa chambre. Ils ne prononcèrent pas un mot, parce que les paroles étaient superflues. Et ils firent l'amour avec plus d'intensité que jamais, parce que c'était la dernière fois.

Comblée, épuisée, elle resta blottie dans les bras de Dev.

— Que se passe-t-il ? Tu pleures ? demanda celui-ci.

S'essuyant les yeux avec un coin du drap, elle répondit :

— Je ne m'en étais pas rendu compte.

Dev la serra plus fort contre lui.

— J'ai comme l'impression d'avoir commis une erreur en t'emmenant voir Charles, aujourd'hui, dit-il.

— Non, au contraire, et je t'en remercie.

— Mais tu ne pensais pas en apprendre autant.

Dev avait raison sur ce point-là.

— En effet, soupira-t-elle. Mais je vais bien. Enfin... presque.

— Qu'est-ce qui continue de te tracasser ? Je peux peut-être t'aider à comprendre...

— Non, tu ne peux pas, Dev, répondit-elle sèchement. Je ne suis plus une petite fille qu'il faut consoler parce qu'elle a bobo. J'assume.

Se dégageant de l'étreinte de Dev, elle se redressa et s'assit sur le bord du lit.

— Ne pars pas en colère. Je voulais juste..., commença Dev, à la fois blessé et étonné.

— Je sais, je sais, ce que tu voulais, répondit-elle en enfilant son T-shirt. Je ne suis pas en colère, je suis lasse. Ereintée. Au cas où tu ne l'aurais pas remarqué, j'ai travaillé dur.

— Je l'ai remarqué. Tout le monde a travaillé dur. J'aurais dû te remercier.

— Du moment que tu me paies, tu n'as pas besoin de me remercier.

Elle ramassa ensuite son short, l'enfila, puis se leva pour le boutonner.

— J'ai besoin de me reposer, Dev. Et si je reste avec toi cette nuit, aucun de nous deux ne fermera l'œil.

— C'est vrai, mais j'aimerais malgré tout que tu restes. Il y a encore certaines choses dont je souhaite parler avec toi, et…

— Une autre fois, d'accord ? répondit-elle, incapable de supporter davantage d'émotions. A demain.

— Un peu plus tard que d'habitude. Je dois aller voir l'un des fournisseurs à la première heure, d'abord.

— Pas de problème. Plus tard.

Plus tard. Peut-être des années plus tard. Parce qu'elle avait un avion à prendre, et qu'elle n'avait aucune intention de le manquer…

Sharlee passa une nuit agitée, et se réveilla épuisée le lendemain matin. Pourquoi avait-elle aussi mal dormi ? A cause de secrets. De secrets de famille. Et de sa loyauté envers la famille, et de ses obligations.

Il lui avait fallu du temps pour prendre une décision qu'elle repoussait depuis le jour de son arrivée à La Nouvelle-Orléans : celle de retourner une dernière fois à Lyoncrest. Elle le devait à sa famille — même s'il lui fallait pour cela oublier le serment fait des années plus tôt.

Elle se servait des céréales quand Felix arriva en cuisine pour y prendre un dossier.

— Comment ça va ? demanda-t-il d'un air absent.

— Bien, bien... Felix ?

— Oui ?

Avec un petit rire gêné, elle annonça :

— Je... je voulais te dire que je vais partir.

— Oui, je le sais.

Mais après une seconde de réflexion, il ajouta :

— Tu veux dire *aujourd'hui* ?

Elle hocha la tête.

— Ça m'ennuie de vous laisser comme ça, mais je dois aller passer un entretien d'embauche.

— Bon. Tu vas rester sur place le temps de connaître la réponse, je suppose ?

— Le poste est en Californie et mon avion décolle à 14 heures. Je viens juste de l'apprendre, sinon je vous aurais prévenus plus tôt.

— Embaucher une autre serveuse ne devrait pas poser de problème. Il y a des filles, dans ma famille, qui seront intéressées, répondit Felix avant de boire une gorgée de café. Je suis triste de te voir partir, Sharlee. Quand Dev t'a amenée ici, je pensais qu'il faisait une grosse erreur, mais je reconnais que je me suis bien trompé.

Elle lui adressa un sourire triste.

— Merci. Tu... tu vas me manquer.

— Comment Dev a-t-il réagi ?

— Je n'ai pas encore eu l'occasion de le lui annoncer.

— Quoi ? Tu as passé la nuit avec lui, et tu n'as pas trouvé l'occasion de lui parler de ton départ ?

— Je ne voulais pas gâcher ce moment, expliqua-t-elle pour sa défense, en rougissant.

— Je peux te garantir que tu vas *tout* gâcher si tu pars d'ici comme une voleuse ! gronda-t-il. Tu *dois* le lui dire.

Incapable de répondre, elle regarda Felix sortir de la cuisine. Elle n'aurait pas cru que cet homme, toujours aussi flegmatique, puisse se mettre dans une telle colère.

N'ayant plus aucun appétit, elle retourna dans sa chambre pour y préparer ses valises. La première bouclée, elle se sentit prise de panique — il était grand temps qu'elle file. Sinon, elle courait le risque que chacun lui donne son avis. Elle savait ce qu'elle voulait, non ?

— Alors ?

Le cœur battant à se rompre, elle se retourna. Dev se tenait sur le seuil de sa chambre, bras croisés, très sombre.

— Je suppose que c'est Felix qui t'a prévenu ?

— Felix ? Je n'ai pas vu Felix ce matin, répondit Dev en pénétrant dans la chambre. Est-ce que cela signifie ce que je pense ? demanda-t-il en fixant les valises des yeux.

— Et que penses-tu ? répliqua-t-elle, en rangeant une pile de sous-vêtements dans la valise.

— Que tu t'enfuies.

Poings plantés sur les hanches, elle le regarda :

— Je ne m'enfuie pas. Je pars. Et ce n'est pas du tout la même chose.

— Pour moi, si. As-tu au moins prévenu ta famille ?

— Cela ne te regarde pas.

— Sharlee !

Dev semblait prêt à la saisir par les épaules pour la secouer et la ramener à la raison.

— Tu leur dois au moins ça, reprit-il. Cela fait des semaines qu'ils attendent que tu fasses le premier pas. Et maintenant, tu t'apprêtes à partir sans même avoir la courtoisie de les appeler ?

— Je n'ai pas dit cela. J'ai dit que cela ne te regardait pas.

Elle posa son ordinateur portable au milieu de sa valise, et le recouvrit de vêtements pour le protéger.

— Je te rappelle que je n'y suis pour rien. C'est toi et ma grand-mère qui m'avez fait venir ici sous de faux prétextes.

— Non, c'est faux. Nous t'avons fait revenir parce que tu comptes pour nous, et ce n'est pas une fausse excuse.

— Je compte pour toi, c'est cela ?

Elle le regarda droit dans les yeux, pensant qu'elle et lui n'auraient jamais la même conception du terme « compter ».

— Oui. Et je me fais l'effet d'être un bel imbécile, étant donné que tu t'apprêtais à partir comme une voleuse.

Elle sentait son pouls battre dans son cou.

— Je voulais peut-être te laisser le même souvenir que celui que tu m'as laissé la dernière fois. Je voulais peut-être que tu souffres ne serait-ce que la moitié de ce que j'ai souffert.

— Tu te venges, c'est ça ? répondit-il en hochant la tête d'un air las. D'accord, tu as gagné, je souffre. Maintenant, va au moins dire au revoir à ton grand-père. Ce sera certainement la dernière fois que tu le verras.

— Tu n'as pas honte de dire des choses pareilles ? s'écria-t-elle. Sache que j'ai décidé de m'arrêter à Lyoncrest avant de partir à l'aéroport, rétorqua-t-elle en fermant sa valise d'un geste sec.

Ensuite, elle prit une valise dans chaque main et partit vers la porte.

Il vint se poster devant elle, le regard brûlant.

— Comme ça ?

Elle le regarda, sachant parfaitement qu'elle ne partait pas du tout « comme ça ».

— Ecoute, dit-elle sur un ton exaspéré, je sais que j'ai raison. Qu'attends-tu de plus de ma part ?

— Rien, je suppose, répondit-il avec lassitude. Rien du tout.

— Dans ce cas… Au revoir, Dev.

Ainsi la rebelle rentrait-elle chez elle — au moins le temps d'une visite.

Dev resta dans la chambre, que Sharlee venait de quitter, longtemps après que le bruit de ses pas s'était évanoui, essayant de se convaincre qu'il n'était pas responsable de son départ. D'ailleurs, elle ne l'avait jamais laissé croire qu'elle resterait.

Et lui n'avait jamais suggéré qu'il voulait qu'elle reste.

Il soupira. Au moins s'arrêterait-elle à Lyoncrest avant de quitter la ville. Maintenant, si le fils prodigue rentrait à son tour à Lyoncrest, la famille serait au complet…

15.

Quelle sensation étrange de pénétrer sur le domaine de Lyoncrest après toutes ces années… Sharlee resta un moment sur le seuil, devant le portail en fer forgé, en respirant profondément pour affronter avec calme l'épreuve qui l'attendait.

Elle avait rencontré les différents membres de sa famille en quelques occasions depuis son vingt et unième anniversaire, mais jamais à Lyoncrest. Le souvenir d'en être partie en claquant la porte et sans un sou ne l'avait jamais quittée, et elle n'aurait pas cru y revenir un jour.

Pourtant, elle y était, et elle remonta l'allée jusqu'à la porte de la maison de son enfance. Elle se sentait comme une parfaite étrangère. Quand elle posa le pied sur la première marche du porche, elle inspira profondément. Le parfum entêtant des gardénias, du jasmin et des autres fleurs lui donna une sensation d'ivresse.

Ombragé par des chênes séculaires et entouré de pelouses et de parterres impeccablement entretenus, Lyoncrest était une majestueuse demeure de trois étages. Au deuxième, Sharlee crut surprendre un mouvement derrière les rideaux de mousseline. Qui était-ce ?

Elle serra les poings. Il allait falloir qu'elle s'accommode de ce qu'elle trouverait à l'intérieur.

Elle monta les marches, tendit la main vers le heurtoir de

laiton poli. Au moment où elle s'apprêtait à frapper, la porte s'ouvrit. Margaret se tenait sur le pas de la porte, et son sourire avenant se chargea aussitôt d'inquiétude.

— Charlotte, dit-elle en s'avançant et en prenant sa petite-fille dans les bras. Charlotte, tu es de retour.

Sharlee ne résista pas, mais elle ne lui rendit pas non plus son étreinte. Néanmoins, elle sentit des larmes lui brûler les yeux et elle cligna les paupières pour les contenir. Non, elle ne pleurerait pas. Quoi qu'en pense la famille, elle était désormais une femme adulte et elle se comporterait comme telle.

Margaret recula d'un pas, les yeux brillants de larmes.

— C'est formidable ! Nous venons juste de terminer notre brunch et toute monde, à part les enfants, prend le café dans la véranda. Souhaites-tu te joindre à nous ?

Sharlee se contenta d'acquiescer de la tête, craignant que sa voix ne trahisse son émotion. Transie de peur, elle suivit sa grand-mère et traversa l'entrée, puis passa les portes-fenêtres qui menaient à la véranda. Toute la famille était réunie : grands-parents, parents, sœur et beau-frère.

Lorsqu'ils la virent, les conversations cessèrent immédiatement et l'air sembla se charger de tension. Leslie poussa un cri de surprise et voulut se lever, mais elle retint son élan et se rassit. Quant à Gaby, elle semblait trop abasourdie pour esquisser le moindre mouvement.

Sharlee était figée, debout à l'entrée de la véranda, tremblante d'appréhension. Elle se sentait aussi maladroite que la gamine qu'ils voyaient tous en elle.

Paul, qui était assis sur l'un des canapés, sourit.

— Nous sommes très heureux de te voir, ma chérie. S'il te plaît, viens t'asseoir à côté de moi.

— Oui, vas-y, l'encouragea Margaret. Dev ne t'a pas accompagnée ?

— Non, grand-mère. Je suis venue seule vous dire au revoir. Je prends un avion pour San Francisco dans quelques heures.

— Charlotte, non ! s'exclama Gaby, qui se leva, mais qu'André retint par le bras. Maintenant que tu es enfin ici, il y a tellement de choses dont nous devons parler ! Si tu nous aimes suffisamment pour…

— Je t'en prie, répondit sèchement Sharlee. Je ne me laisserai pas manipuler une fois de plus.

André répondit :

— Ce n'est pas ce qu'elle voulait dire. Ta mère t'aime et souhaite le meilleur pour…

— Papa, pitié ! coupa Sharlee. Je te crois, et là n'a jamais été la question. Je vous aime tous, moi aussi… mais je ne peux pas vivre avec vous.

— Peut-être pas à Lyoncrest, convint André en passant un bras autour de la taille de Gaby pour la soutenir. Mais La Nouvelle-Orléans est une grande ville. Est-ce que nous ne t'avons pas montré que nous pouvions respecter ton désir d'indépendance ? Inutile de t'exiler en Californie.

— Je ne m'exile pas : je vais en Californie parce que c'est là que j'ai trouvé du travail, papa.

— Il y en a ici aussi.

Sharlee lui adressa un sourire amer.

— Oui, à WDIX, n'est-ce pas ? Inutile. Je ne vous permettrais pas de me forcer à faire des choses qui me rendraient malheureuse.

Même pour un pont d'or, aurait-elle pu ajouter. En fait, elle n'était même pas sûre d'accepter l'argent de son compte bloqué si sa famille le lui proposait…

— Toutefois, avant que je ne parte, reprit-elle en sentant son angoisse monter, j'ai parlé avec oncle Charles, hier. Il m'a raconté des tas de choses sur la famille que j'ignorais.

L'exclamation de Margaret fit se retourner Sharlee.

— J'aurais préféré que tu n'ailles pas voir Charles, Charlotte.

Tout en lançant un regard à André et à Gaby, elle ajouta avec une expression d'abattement :

— C'est nous qui aurions dû répondre à tes questions.

— Oh, mon Dieu ! gémit Gaby. Vous avez raison, Margaret, mais il vaut mieux tard que jamais. Paul, vous nous avez bien dit qu'il était temps…

— En effet.

— Dans ce cas, nous allons te révéler la vérité, Charlotte. Je ne sais pas ce qu'il en ressortira, mais si tu souhaites tellement connaître nos secrets de famille… Par où dois-je commencer ?

L'appréhension de Sharlee se fit plus intense. Elle s'assit dans un fauteuil, face à ses parents et grands-parents.

— Maman, papa, s'enquit Leslie, est-ce que Michael et moi devons sortir, ou…

— Je vous en prie, restez, répondit Gaby. Tu es toi aussi concernée, alors autant lever le voile une bonne fois pour toutes.

Elle se tourna ensuite vers son mari, puis ses beaux-parents, assis l'un à côté de l'autre sur le canapé.

— Vous êtes d'accord ?

— D'accord, répondit Margaret pour tout le monde.

Sharlee avait eu le temps de recouvrer ses esprits.

— Comprenez bien que je ne cherche à blesser personne, dit-elle alors que tous se tournaient vers elle. Je veux seulement connaître la vérité.

Tous acquiescèrent. Alors elle prit une profonde inspiration et se lança.

— Grand-père, oncle Charles semble croire que grand-mère et toi le détestez, lui et toute la branche de la famille dont il est issu. Je sais qu'il y a des tensions entre les deux branches de la famille depuis des années, mais nous avons toujours réussi à nous réunir lors d'occasions importantes —comme le cinquantenaire de la chaîne. Pourtant, je suis absolument certaine qu'oncle Charles était sincère quand il a dit que…

— Charlotte, je…, commença Paul, qui semblait confus.

Margaret intervint.

— Laisse-moi parler, Paul. Et si je m'égare, remets-moi dans le droit chemin. Comme tu l'as fait au cours de ces nombreuses années, ajouta-t-elle avec un large sourire uniquement destiné à son époux.

— Merci, Margie, répondit-il avant d'embrasser la main de son épouse.

Sharlee sentit les larmes lui monter aux yeux, et elle dut faire des efforts pour les contenir. L'amour que se portaient ses grands-parents l'avait toujours émerveillée. Pourquoi Charles prétendait-il néanmoins qu'il n'en avait pas toujours été ainsi… ?

— Nous n'avons rien contre Charles ni contre sa famille, reprit calmement Margaret. Nous avons tout fait pour nous rapprocher d'eux, mais ils se sont montrés si acharnés…

Elle s'arrêta, comme si elle cherchait les mots exacts, et Sharlee termina sa phrase pour elle :

— … si acharnés contre papa. Ils croient que grand-père n'est pas son père, et ils ne le considèrent donc pas comme un Lyon. Désolée, papa, mais c'est ce qu'oncle Charles m'a expliqué.

— Ce n'est rien, ma chérie, répondit André, qui ne parut pas perturbé par l'accusation de Charles. Charles et Alain le répètent depuis des années et des années. Tu n'as pas cru Charles, n'est-ce pas ?

— Oncle Charles affirme aussi que, à ta naissance, papa, grand-père était furieux, qu'il ne faisait aucun doute pour lui que tu n'étais pas son fils. C'est pour cette raison qu'il est parti et qu'il n'est pas revenu après la guerre. Selon oncle Charles, tu as passé toutes ces années à picoler et à fréquenter les putes, grand-père.

Margaret avait pâli.

— Un tel langage dans la bouche d'une jeune fille... protesta-t-elle faiblement. Charlotte, nous... Ton grand-père et moi avons connu des problèmes juste après la naissance d'André, c'est vrai. Nos raisons ne concernent que nous, et je ne souhaite pas en parler. C'est une affaire strictement privée, entre mari et femme, mais je peux te jurer que nous n'avons jamais été infidèles l'un à l'autre depuis notre mariage.

Un coup d'œil à Paul, qui acquiesça, et elle reprit :

— Paul est resté éloigné pendant sept ans — sept longues et horribles années de solitude. Quand il nous est revenu... Quand j'ai découvert qu'il vivait dans les marais, je l'ai ramené à la maison et cela n'a pas été facile de reprendre la vie commune, ni la vie de famille avec André. Paul avait connu l'enfer.

— Je suis désolée de raviver tous ces souvenirs douloureux, dit Sharlee. Maintenant, grand-père, il faut que je te demande : quand as-tu compris que tu avais un problème sérieux avec l'alcool ?

Un sourire amer se dessina sur les lèvres de Paul.

— Bien avant de décider d'arrêter de boire, dit-il. Après que Margie m'a trouvé ivre mort dans le bayou et qu'elle m'a ramené à la maison...

— Paul, ne raconte pas des choses pareilles ! Les enfants vont croire que tu étais un alcoolique, alors que ce n'était pas le cas. Tu supportais mal l'alcool, c'est tout.

— Personne ne vous en veut pour cela, Paul, assura Gaby.

— Mais moi, si, répondit le vieil homme en soupirant. Tu vois, Charlotte, que je ne suis pas un vieux monsieur irréprochable. Ce que Margie omet de dire, pour me ménager, c'est que j'ai tout bonnement déserté ma propre famille, en ne rentrant pas à la maison après la guerre.

— « Déserté » ne convient pas, Paul, corrigea Margaret, visiblement choquée.

— Si, c'est le mot. N'avons-nous pas décidé de révéler toute la vérité ? Vois-tu, Charlotte, quand Margie m'a retrouvé et ramené, je n'étais même plus l'ombre de moi-même. Je ne voulais rien savoir — ni de mon mariage, ni de mon fils, ni de Lyon Broadcasting. Et je refusais de travailler pour la télévision. Mais elle a réussi à me faire changer d'avis, et je l'en remercie chaque jour de ma vie.

Margaret prit la main de son mari. Elle semblait enfin accepter que la vérité soit révélée.

— Chère Charlotte, tu n'es pas la seule Lyon qui ait résisté à l'idée de travailler en famille, déclara-t-elle.

— Comme toujours, tu as raison, dit Paul en souriant à sa femme.

Quelqu'un contint un soupir. Certainement Leslie. Sharlee s'éclaircit la gorge.

— Il y a aussi…, commença-t-elle, que Charles affirme que grand-mère a failli l'épouser.

— Bien sûr que non, voyons ! Charles et moi passions beaucoup de temps ensemble à cause de la radio, mais… Il est devenu de plus en plus… difficile.

— Quel euphémisme ! intervint André en riant doucement. Oncle Charles s'est très bien occupé de moi jusqu'au retour de papa, mais il avait ses raisons pour cela : il se servait de moi pour parvenir à ses fins avec toi, maman.

Margaret soupira.

— Il essayait aussi de te monter contre ton père, au cas où celui-ci reviendrait. Et pendant un moment, j'ai cru qu'il avait réussi. Mais tout est finalement rentré dans l'ordre, ajouta-t-elle en se penchant vers Paul, comme pour le rassurer.

— André est mon fils, affirma Paul en regardant Sharlee droit dans les yeux. Et tout ce que pourra raconter mon frère n'y changera rien.

— Charles affirme aussi qu'Alain remplacera un jour papa à la tête de Lyon Broadcasting.

— A-t-il précisé comment ?

— Non.

— Parce que ce jour n'arrivera jamais, voilà pourquoi ! enchaîna Margaret. Avant tout, je crois que Charles est amer parce qu'il n'a pas su voir que la télévision avait un avenir. Après le retour de Paul, nous avons conclu un marché avec Charles et Alexandre. Paul et moi prenions le contrôle de la station de télévision, et Charles de la station de radio WDIX. Ensuite, au décès d'Alexandre, Paul et moi avons reçu soixante pour cent des parts, et Charles les quarante pour cent restants. Il ne nous l'a jamais pardonné, oubliant un peu trop facilement que la première station avait été créée par Alexandre et mon propre père.

Sharlee se tourna alors vers sa mère.

— Maman, pourquoi est-ce qu'oncle Charles t'en veut autant ? Tu ne faisais pourtant pas partie de la famille, à cette époque…

Gaby s'apprêtait à répondre, mais André intervint.

— Il la déteste parce que, sans elle, je n'aurais eu aucun avenir.

— André ! s'exclama Gaby, dont le rire détendit un peu l'atmosphère. Ce que tu dis là n'est qu'une partie de la vérité. J'ai toujours constitué une menace pour eux parce que j'étais proche de Margaret, et aussi parce que j'ai réussi à gravir les échelons à WDIX. Après le retour d'André…

— D'où rentrait-il ?

— J'étais dans la marine marchande, précisa André. Tu le savais. Mais tu ignores sans doute que j'ai aussi passé des années à promener les touristes dans les marais. En fait, je ne faisais pas grand-chose de bon.

Le sourire qu'il affichait le rajeunissait et il paraissait dix années de moins que ses cinquante-huit ans.

— Et pendant toutes ces années, maman n'arrêtait pas de me harceler pour que je rejoigne Lyon Broadcasting. Ça te rappelle quelque chose ?

— Un peu, répondit Sharlee en souriant.

— C'est un défaut de famille, Charlotte. Nous pensons tous avoir raison.

— Mais tu as fini par rejoindre WDIX.

— Oui. Maman disait que c'était inévitable, ce qui explique certainement en partie pourquoi j'ai passé tant d'années loin d'ici. C'est après la première attaque de papa que j'ai compris que c'était mon destin.

— J'ai toujours voulu voir WDIX-TV dirigé par mes enfants et petits-enfants, précisa Margaret.

— Oui, et tu le voulais tellement que tu as failli m'en dissuader pour de bon, dit André sans aucune animosité, car la question était résolue depuis longtemps. Gaby et moi avons agi exactement de la même manière, et pour le même résultat, envers Leslie et Charlotte.

— Papa ! s'exclama Leslie. Tu ne m'as pas dissuadée. C'est seulement que je me sens complètement incompétente pour occuper un poste de responsabilité. Mais, heureusement, tu as Michael, ajouta-t-elle en souriant à son époux.

— Que nous apprécions tous beaucoup, affirma André. Mais pour en revenir au problème qui nous intéresse... Le ressentiment envers Gaby a atteint son paroxysme au moment de la seconde attaque de papa. Alain était avec lui quelques minutes avant, et nous avons toujours pensé qu'il l'avait poussé à bout. D'où l'attaque.

— Oublions cela, dit Paul. Cette attaque aurait eu lieu à un moment ou à un autre, de toute manière.

— Papa n'a jamais voulu nous révéler ce qu'Alain lui avait dit ce jour-là, mais nous nous en doutons, continua André. Alors que papa était allongé dans son bureau entre la vie et la mort, Alain s'en est pris avec véhémence à Gaby. Il l'a accusée de m'avoir épousé par intérêt, lui a lancé quelques insultes et lui a dit qu'elle ne serait plus aussi arrogante quand il aurait prouvé que je n'étais pas du sang des Lyon.

— Et voilà, dit Gaby, nous tournons en rond. Charles et Alain ne cessent de répéter qu'ils finiront par arracher le contrôle de Lyon Broadcasting à André. En attendant, ils font tout pour saper la famille et la station.

— Comme quoi ? demanda Sharlee.

Gaby hésitait, André serra sa main.

— Il n'est plus temps de cacher quoi que ce soit, Gaby.

— Tu as raison… Plusieurs incidents se sont produits à la station, depuis que cette rivalité s'est installée, dont une effrayante alerte à la bombe à WDIX. André et moi travaillions tard, un soir, quand nous avons reçu un appel nous avertissant qu'il y avait une bombe dans le bâtiment. Sur le moment, nous avons pensé qu'il s'agissait d'une tentative pour prendre le contrôle de Lyon Broadcasting en nous éliminant tous les deux. En fait, il s'agissait seulement de nous faire très peur… Ce fut l'un des pires moments de ma vie. J'ai cru ma dernière heure arrivée. La police n'a jamais découvert qui se cachait derrière cette mise en scène, mais nous, nous savions.

Elle marqua une pause, et sourit.

— Néanmoins, il en est ressorti une chose très positive. Le fait d'avoir cru mourir nous a fait prendre conscience, à ton père et à moi, de la prodondeur de nos sentiments l'un pour l'autre. Nous nous sommes mariés tout de suite.

Le récit de sa mère finit de vaincre les dernières réticences de Sharlee. Bouleversée par ce qu'elle venait d'entendre, elle comprenait que rien n'avait jamais été facile pour aucun des membres de sa famille. Ni l'amour ni la vie. Elle n'était ni plus ni moins gâtée que les autres.

Leslie serrait la main de Michael de toutes ses forces. On lisait sur son beau visage l'étonnement devant tant de révélations, mais aussi la compassion. Leslie est une fille bien. Elle savait accepter, pardonner.

Pour Sharlee, les choses étaient plus difficiles à digérer. Elle respectait, et même admirait Margaret et Gaby pour ce que cela leur avait coûté de révéler tout ce qu'elles cachaient depuis si longtemps. Son père, quant à lui, semblait décontracté et même soulagé. Ses grands-parents paraissaient épuisés. Paul observait la scène avec une expression songeuse, alors que Margaret semblait de plus en plus mal à l'aise.

— Je vous demande pardon de vous avoir caché tout cela, dit alors Gaby à ses deux filles. A l'époque, je pensais bien faire.

— Tu n'étais pas seule, dit Margaret. Nous pensions toutes deux bien faire. Que pouvait gagner la famille à voir toute cette histoire étalée au grand jour ?

— Rien, répondit Sharlee, si elle était révélée au public. Néanmoins, Les et moi aurions dû être au courant. Il s'agit de l'histoire de la famille, et c'est important. Jusqu'à aujourd'hui, je n'ai jamais compris pourquoi tout le monde ne cessait de parler de loyauté familiale. Maintenant, je comprends que nous devons tous nous serrer les coudes, sinon Charles et Alain vont en profiter.

Margaret hocha la tête.

— Et tu n'as rien compris d'autre, Charlotte ?

La jeune femme se mordit la lèvre inférieure, hésita.

— Je pense… J'ai aussi compris pourquoi on s'efforce

d'impliquer les membres de cette famille dans notre WDIX. Finalement, ce n'est pas une si mauvaise tradition.

— Bravo ! s'exclama Paul.

Gaby partit d'un petit rire nerveux.

— Et maintenant que tu le sais, tu vas…

— Je suis heureuse de savoir, maman. Vous m'avez enfin traitée comme une adulte, et cela représente plus que tout à mes yeux.

Elles se regardaient, et chacune attendait que l'autre fasse le premier pas. Elles ne s'étaient pas embrassées depuis si longtemps… Mais ce fut Leslie qui craqua la première. Elle se jeta dans les bras de Gaby ; puis elle s'effaça pour laisser sa sœur renouer avec leur mère. Alors, aveuglée par les larmes qu'elle s'était pourtant promis de contenir, Sharlee alla se jeter à son tour dans les bras de Gaby. Que sa mère lui avait manqué ! Et son père aussi, qui attendait son étreinte.

S'essuyant les yeux, elle adressa un pauvre sourire à ses parents et leur dit ce qu'elle s'était juré de ne jamais leur dire :

— Je vous demande pardon. Je vous demande pardon pour tout le temps que nous avons perdu.

— Nous regrettons de t'avoir caché tant de choses, ma chérie, déclara Margaret. Cette réconciliation avec toi était mon vœu le plus cher. Je veux donc qu'elle soit complète, et elle ne l'est pas encore…

— Tu en as toujours trop demandé à la vie, Margie, remarqua tendrement Paul. Si nous nous réjouissions déjà de ce que nous avons ?

Margaret éclata de rire.

— Si je m'étais contentée de ce que nous avions, nous serions toujours en train de faire de la radio, aujourd'hui ! Ce que je voulais dire, c'est que j'aimerais que nous nous réconciliions aussi avec Charles et Alain. Cette tension permanente dans la famille…

A cet instant, son attention fut attirée par un mouvement, du côté des portes-fenêtres. Elle eut une exclamation, comme si elle venait d'apercevoir un fantôme.

Etonnée, Sharlee se tourna à son tour — Dev. Dev se tenait sur le seuil de la véranda, et Charles était à côté de lui. Il les observait.

— Charles ! Que fais-tu ici ? demanda-t-elle en portant une main à son cœur.

Charles cligna des yeux.

— Tu ne veux pas de moi dans ta maison, Margie ? J'ai pourtant cru que… Devin a dit que je devais venir, mais j'ai peut-être eu tort de le croire.

— Tu n'as pas eu tort du tout, Charles.

Sur ce, elle traversa la pièce pour prendre son beau-frère dans ses bras. Pendant un moment, Charles sembla désorienté. Puis il sourit et lui rendit son étreinte en murmurant tendrement son nom.

Après un long moment, Margaret recula et contempla son visage.

— Il y a tellement d'eau qui est passée sous ce pont.

Puis elle se tourna vers Dev, resté en retrait, et ajouta :

— Merci à toi.

Avant de prendre Charles par le bras pour le conduire jusqu'au fauteuil libre, à côté de Paul. Paul tendit la main à son frère, qui la serra sans même hésiter.

Sharlee était terriblement émue — et soulagée : la famille s'engageait-elle enfin sur le chemin de la sérénité, maintenant ? Le rêve de Margaret de voir réconciliées les deux branches de la famille était-il en passe de se réaliser ?

Alors qu'elle en était là de ses réflexions, Gaby se pencha vers elle.

— Charlotte, il reste une chose dont nous devons parler.

— Quoi, maman ? Est-ce que tout n'a pas été dit ? demanda

Sharlee, qui se sentait trop fragile pour en apprendre davantage.

— Nous n'avons pas encore parlé de ton argent.

— Je m'en moque.

— Il te revient. Ton père et moi souhaitons que tu l'aies, et je suis sûre que tu sauras bien l'utiliser.

Parce qu'elle était désormais capable de vivre de son propre salaire, et non des subsides familiaux ? aurait pu demander Sharlee. Mais elle ne le fit pas.

— L'argent en lui-même n'a jamais été important pour moi, rappela Sharlee. C'est votre refus qui m'a blessée, parce qu'il traduisait votre manque de confiance. Je vous l'ai dit, mais tu ne m'as jamais crue.

Elle non plus n'y avait jamais vraiment cru. Jusqu'à aujourd'hui, aurait-elle réellement été capable de tourner le dos à cet argent si on le lui avait offert ? A présent qu'elle s'en sentait la force, elle éprouvait un merveilleux sentiment de liberté toute neuve.

Gaby aussi avançait sur des sables mouvants.

— Ton père et moi..., commença-t-elle en regardant André, qui acquiesça, nous avons compris que nous avions probablement utilisé cet argent pour t'influencer.

Sharlee regarda ses parents, et dit avec un petit rire :

— « Probablement » ?

— D'accord, nous le reconnaissons, admit Gaby.

André ajouta avec un sourire :

— Je ne crois pas que tu aies envie de l'entendre, mais...

— Vous l'avez fait pour mon bien, c'est ça ? acheva Sharlee en riant.

— Quoi qu'il en soit, reprit Gaby, sans se laisser distraire, cet argent te revient et tu es désormais libre d'en disposer à ta guise.

Sharlee haussa les sourcils.

— Je vous préviens, dit-elle, je suis néanmoins plus déterminée que jamais à mener ma vie comme je l'entends.

— Nous le savons, dit son père, et cela fait partie de ton charme.

— Merci, papa. Je pars donc pour la Californie, avec cet argent ou sans lui.

Dev, qui se tenait à côté de Sharlee, posa une main sur l'épaule de celle-ci.

— Et je pars avec elle, annonça-t-il avec calme. Si quelqu'un doit s'y opposer, qu'il le dise maintenant — à commencer par toi, Charlotte Lyon.

— Tu... m'accompagnes ? dit-elle en le regardant, sans oser y croire.

Elle posa la main sur celle de Dev.

— Tu es sérieux ?

— Si tu veux bien de moi, répondit-il, soudain vulnérable.

— Evidemment, je veux de toi, mais...

— C'est tout ce qui m'importe, répondit-il avec un sourire. Nous réglerons les détails plus tard. Je voulais juste que tout le monde ici soit au courant.

— Ce qui signifie que si jamais tu m'envoies une autre lettre de rupture, ma famille aura le droit de lancer un avis de recherche contre toi !

— Dev t'a envoyé une lettre de rupture ? demanda Gaby en fronçant les sourcils. De quoi parles-tu ?

— C'est une vieille histoire, répondit Sharlee, qui sentit pourtant son cœur se serrer.

— C'est pour cela que tu tenais tellement à t'éloigner et à entrer au pensionnat ?... Devin, c'est vrai, nous ne voulions pas que vous vous engagiez dans une relation trop sérieuse, compte tenu de votre jeune âge, mais t'es-tu vraiment montré si cruel que Sharlee préfère s'éloigner de nous tous ?

La famille le regarda avec stupeur et froideur, comme s'il venait de ruiner son image, et Sharlee se sentit coupable de l'avoir mis dans une telle situation. Elle s'apprêtait à prendre sa défense, quand Margaret affirma :

— Dev n'est coupable de rien.

Tous les regards se tournèrent alors vers la Reine de fer, qui affichait une expression fière et presque arrogante.

— C'est moi qui ai exigé de lui qu'il écrive cette lettre terrible, poursuivit-elle, et aujourd'hui je demande publiquement pardon pour le mal que j'ai pu causer. A Dev et à Charlotte.

— Margaret ! s'exclama Gaby. Nous vous avions demandé de ne pas intervenir dans leur relation. Et vous aviez promis…

— J'aurais tenu ma promesse si André et toi aviez en mesure de contrôler la situation. Il fallait que quelqu'un tranche. Je l'ai fait.

— Maman, s'exclama André, je n'arrive pas à croire que tu aies agi dans notre dos.

— Mon chéri, rétorqua calmement Margaret, j'ai agi dans votre dos un nombre incalculable de fois. A ton avis, pour quelle raison ta fille est-elle de retour à La Nouvelle-Orléans ? Parce qu'elle avait le mal du pays ? Bien sûr que non. C'est moi qui ai envoyé Devin la chercher. Et je lui serai toujours reconnaissante d'avoir accompli l'impossible.

— Attendez, l'interrompit fermement Dev. Je crois que je dois éclaircir quelques points. Tout d'abord, Margaret m'a demandé d'écrire cette lettre à Sharlee, mais je ne l'aurais jamais fait si je n'avais pas cru qu'elle avait raison. Ensuite…

Il posa le regard vers Sharlee, qui retenait son souffle.

— Ensuite, Margaret m'a demandé d'aller dans le Colorado et de ramener Sharlee à la maison. Je l'ai fait, pour elle — et aussi pour moi. Parce que je voulais voir quelle femme elle était devenue.

Sharlee serra sa main.

— Et quelle femme suis-je devenue ?

— Tout à fait mon genre, évidemment.

André regarda chacun à tour de rôle avant de fixer sa mère.

— Maman, je vois que tu es plus manipumatrice encore que je ne pensais.

— Je pourrais aller très loi, pour l'amour de mes proches. Rien ne m'arrêterait.

— Tu es même allée jusqu'à me faire licencier, n'est-ce pas ? ajouta Sharlee. Tu n'aurais pas dû, grand-mère.

« Avoue tout maintenant, la supplia intérieurement Sharlee. Ne laissons rien dans l'ombre qui risquerait de nous diviser. »

Margaret ne cilla pas.

— J'ai eu tort, admit-elle. Et pourtant, j'ai eu raison puisque tout le monde est réuni.

Sharlee s'apprêtait à répliquer de manière peu aimable, mais elle se ravisa. Sa grand-mère lui avait malgré tout rendu service, en lui permettant de retrouver Dev après toutes ces années…

— Grand-mère, je ne suis peut-être pas toujours d'accord avec toi, mais je t'aimerai toujours.

En même temps, elle serra la main de Dev pour lui envoyer un message, qu'elle se promettait de prononcer à haute voix dès que possible : « Et toi aussi, je t'aime. »

L'émotion avait fatigué Paul. Se redressant difficilement, il adressa un sourire chaleureux à sa famille rassemblée.

— Je voudrais que cet instant dure toujours, dit-il avec cette voix qui l'avait rendu célèbre. Merci pour cette journée, Sharlee.

La jeune femme se dirigea vers son grand-père et le serra dans ses bras, surprise qu'il paraisse soudain si frêle. Elle avait toujours voulu croire que Paul Lyon était fort, indestructible.

— Grand-mère a eu raison : il était temps pour nous de nous réunir. Mais, tu sais, il ne fallait pas grand-chose pour me décider à vous faire cette visite — juste un petit coup de pouce, précisa-t-elle en souriant à l'homme qu'elle aimait.

Paul l'embrassa sur la joue.

— Je t'aime, ma petite-fille. Ne l'oublie jamais. Dans le futur, quand je ne serai plus là pour te rappeler…

— Tu seras toujours là, grand-père. Tant qu'il y aura un seul Lyon, reprit-elle, submergée par l'émotion, tu seras toujours là.

Du revers de la main, Paul essuya tendrement une larme sur la joue de sa petite-fille. Margaret s'approcha alors et passa son bras sous celui de son mari.

— Je monte avec toi, chéri. Charles ? Tu nous emboîtes le pas ? Nous demanderons que l'on nous apporte un plateau, et nous pourrons discuter.

— Je n'aime pas trop monter les escaliers, répondit Charles. Mes genoux…

— Nous avons fait installer un élévateur. Joins-toi à nous.

Sharlee regarda les trois aînés des Lyon quitter lentement la véranda, Margaret entre les deux frères, tous se tenant par le bras. A eux trois, ils incarnaient une grande partie de l'histoire des Lyon — l'esprit d'entreprise, l'énergie, la construction d'un avenir, pour les générations suivantes.

Gaby se leva.

— Charlotte, Dev, resterez-vous déjeuner avec nous ?

Sharlee se raidit. Son avion décollait à 14 heures. L'avait-elle déjà manqué ? Elle était tellement perturbée qu'elle ne savait plus.

— Nous restons, répondit Dev.

Se penchant vers Sharlee, il lui murmura à l'oreille :

— Oublie ton avion. J'ai un plan. Fais-moi confiance.

Elle le fit.

*
* *

Andy-Paul et Cory les rejoignirent, et la famille au grand complet se retrouva dans la salle à manger pour le déjeuner. La pièce résonna rapidement d'éclats de rire et de conversations.

Assise à côté de sa mère, Sharlee dut répondre à toutes sortes de questions sur son travail de journaliste, ses habitudes, ses amis, sa vie sociale, ses rêves et ses ambitions — des questions dont seule une mère pouvait écouter les réponses avec un grand intérêt.

Sharlee voyait sa mère sous un tout nouveau jour — plus comme le tyran qui avait gâché sa vie avec des sermons et des règles, mais comme une femme, avec des espoirs, pour elle et pour ses enfants.

La jeune femme lança un coup d'œil à Dev. Elle ne savait pas exactement ce qu'il avait en tête, mais elle se sentait plus que jamais prête à tout risquer avec lui et pour lui.

Le déjeuner se déroula dans une ambiance joyeuse. Sharlee se sentait bien au milieu des siens. Une fois le repas terminé, les enfants partirent jouer tandis que les adultes passaient dans la bibliothèque, où André se chargea de proposer à boire.

— Nous ne manquons pas de choses à fêter, aujourd'hui. Je vais prendre un cognac et je sais que Gaby aime bien une liqueur de cerise après le repas. Et les autres ?

— Pour moi, ce sera du Perrier, annonça Leslie. Dans mon état, je dois être sérieuse.

Dev et Michael optèrent, eux aussi, pour un cognac.

— Charlotte ?

— Pardon ?

— Tu veux boire quelque chose ? répéta André.

— Tu veux dire, de l'alcool ? s'étonna-t-elle.

Gaby éclata de rire.

— Voyons, ce n'est pas interdit, ma chérie.

— Oui, mais c'est la première fois que vous m'en proposez, figurez-vous. Il faut croire que, décidément, j'ai vraiment grandi, à vos yeux. Eh bien, je vais prendre la même chose que maman.

Une fois tout le monde servi, André leva son verre pour porter un toast. Les conversations s'interrompirent, et tout le monde se tourna alors vers lui.

— A la famille Lyon. Que nous soyons toujours aussi heureux qu'aujourd'hui.

— Bravo !

Ce fut au tour de Michael de lever son verre.

— A nous tous. En espérant que nous serons arrivés au paradis avant même que le diable apprenne notre mort !

— Voilà un toast dans la pure tradition irlandaise, approuva André.

— Mon grand-père était irlandais, avoua Michael en souriant.

Dev leva ensuite son verre.

— D'accord. Et que dites-vous de celui-ci ? A Charlotte et…

Mais il s'arrêta net, et tout le monde se tourna vers la porte pour en comprendre la raison. Margaret se tenait sur le seuil, aussi pâle et immobile qu'une statue de marbre, les traits figés.

— Grand-mère ?

Elle annonça d'une voix blanche :

— Il est parti.

— Charles ? demanda Dev en fronçant les sourcils. C'est moi qui l'ai amené. Comment…

— Pas Charles.

Elle prit une inspiration douloureuse. Un silence de plomb était tombé sur la pièce.

Lentement, André posa son verre.

— Papa est parti ? Je ne compr…

C'est alors qu'il réalisa et son visage se tordit de chagrin.

— Mon Dieu… Est-ce que quelqu'un a appelé une ambulance ? Dis-nous ce que…

— André, l'interrompit Margaret.

— Mais il faut faire quelque chose ! Pourquoi restes-tu plantée là comme si nous avions tout notre temps ?

— Parce que… il est trop tard, répondit Margaret.

André eut à peine le temps de prendre sa mère dans ses bras avant qu'elle ne s'évanouisse. Ils entendirent alors la sirène d'une ambulance dans l'allée. Mais Margaret avait raison : il était trop tard pour Paul Lyon.

Épilogue

Ce soir-là, blottie dans les bras de Dev, Sharlee pleura la perte de son grand-père, mais elle éprouvait aussi un sentiment de paix intérieure. Si elle n'était pas revenue, si elle n'avait pas eu cette ultime chance de lui dire qu'elle l'aimait, se serait-elle pardonné son orgueil et son obstination ?

Dev écarta une mèche de cheveux humides de son visage.

— Il est mort heureux, Sharlee, et c'est déjà beaucoup, murmura-t-il dans la pénombre. Sa famille était de nouveau réunie autour de lui, au moins pendant quelques minutes, et cela représentait énormément pour lui.

— J'espère que tu as raison.

— As-tu entendu ce que ta grand-mère a dit à ce sujet ?

— Quand ?

— Juste avant notre départ. Elle a dit : Paul ne tenait que par l'espoir de voir sa famille réconciliée. Ils savaient tous les deux que ses jours étaient comptés, et il n'est resté en vie que grâce à sa détermination.

— Et tout le monde pense que c'est grand-mère qui est de fer.

— Il était tout aussi fort qu'elle, mais à sa manière. Il est parti comme il le souhaitait, au milieu des siens.

— Même oncle Charles était présent. C'était un miracle, Dev, et c'est toi qui l'as accompli.

— Ne compte tout de même pas trop sur de grandes retrouvailles. La vendetta familiale dure depuis trop longtemps, elle est allée trop loin. Je pense que tu le sais.

Elle hocha la tête.

— Je le sais, oui. Mais au moins grand-père est-il mort en y croyant.

Dev embrassa Sharlee.

— Rien n'est jamais tout à fait joué, dit-il, c'est vrai.

— Grand-père et grand-mère étaient ensemble depuis si longtemps… Cela paraît injuste de les séparer maintenant.

— Ils ont eu leur part — cinquante ans d'amour et de bonheur. Rien ne dure éternellement, Sharlee… Et puis Paul vit en Margaret. Elle l'aimera jusqu'à son dernier souffle, comme elle aime tes parents, comme elle t'aime, toi, et le reste de la famille. Alors tu vois, Paul est mort, mais il n'a pas disparu. Pas tant que quelqu'un se souviendra de lui.

— Je n'oublie jamais rien, même si parfois je préférerais oublier certaines choses. Comme le fait que… grand-mère et toi ayez comploté contre moi pour cette lettre. Pourquoi ne m'as-tu jamais parlé du rôle qu'elle avait joué ?

— J'avais promis de garder le silence.

— Et tu tiens toujours tes promesses avec autant de loyauté ?

— J'essaie, Sharlee.

— Et tu fais toujours ce que tu dis ?

— J'essaie, là aussi.

— Tu as dit que tu partais pour la Californie avec moi. Tu le pensais ? Parce que ta vie est ici. Ton restaurant est ici, ajouta Sharlee d'une voix étranglée.

Depuis que Dev avait fait cette déclaration à Lyoncrest, elle y pensait sans cesse : et s'il s'était laissé emporter par l'enthousiasme du moment ?…

Comme il ne répondait pas immédiatement, elle leva les yeux

vers lui et lui adressa un regard anxieux. Mais elle distinguait mal les traits de Dev par cette nuit sans lune. Il caressa alors la joue de Sharlee, et elle soupira de soulagement.

— Ma vie est avec toi, déclara-t-il.

— Que veux-tu dire, Dev ? Tu dois me l'expliquer.

Elle pouvait entendre sa respiration régulière, son cœur qui battait tout contre sa joue.

— Je veux dire que je t'aime. Je t'ai toujours aimée. Mais tant que tu n'avais pas grandi un peu, nous ne pouvions pas tirer un trait sur le passé et avancer vers l'avenir.

— Que fais-tu de ma famille et de la tienne ? Et San Francisco ? Et le Bayou Café ? Et…

— Du calme, dit-il en posant un doigt sur la bouche de la jeune femme. Nous nous aimons. Tu m'aimes, n'est-ce pas ?

— Tu le sais bien.

— Tu voulais me l'entendre dire, mais maintenant c'est à ton tour de me le dire.

— Je t'aime, dit-elle alors. Vraiment. Grâce à toi, je suis devenue meilleure et je veux te rendre tout ce que tu me donnes.

— Dans ce cas, répondit-il, le reste n'est que détails.

Paul Lyon, la Voix de Dixie, fut inhumé dans le caveau familial trois jours plus tard. Sharlee et Dev dirent au revoir à la famille. Leslie se tenait à côté de ses parents, sa main dans celle de Michael, les yeux rougis à force de pleurer. Tous les autres Lyon, même Charles, se trouvaient à l'intérieur.

Tous les autres, sauf un.

— Grand-mère n'est toujours pas rentrée du cimetière ? demanda Sharlee en cherchant du regard la noire silhouette de Margaret.

La Reine de fer s'était comportée avec une dignité admirable, traversant tête haute l'épreuve sans doute la plus douloureuse de sa vie. Gabrielle, quant à elle, était bouleversée.

— Margaret voulait passer quelques minutes seule avec lui, expliqua-t-elle. J'espère que nous avons eu raison de la laisser.

— Il le fallait, Gaby, répondit André en lui serrant la main. C'était son souhait. Et puis le chauffeur est resté avec elle et il la reconduira.

Sharlee posa une main sur l'épaule de sa mère.

— Pourras-tu lui dire que nous sommes très tristes et que nous l'aimons énormément ?

— Vous ne pouvez pas l'attendre, et le lui dire vous-mêmes ? demanda Gaby, visiblement déçue.

Regardant Dev, Sharlee répondit :

— J'aimerais beaucoup, mais nous avons déjà repoussé notre départ autant que nous le pouvions. Nous allons prendre la route pour San Francisco et nous nous y marierons dès que nous aurons pu tout arranger. J'ai réussi à retarder mon entretien au *Globe*, mais nous n'avons pas beaucoup de marge de manœuvre.

— Charlotte, pourquoi ne pas rester et me laisser vous préparer un beau mariage ?

Fut un temps, Sharlee aurait écarté sèchement la proposition de sa mère. Mais là, elle se contenta de l'embrasser.

— Merci, nous n'avons vraiment pas le temps. Et puis j'ai envie que Dev et moi nous occupions nous-mêmes de notre mariage. C'est notre vie, tu comprends.

— Oh, mon Dieu, soupira Gaby, j'ai recommencé, n'est-ce pas ?

— Oui, mais ce n'est pas grave, maman. Et puis… papa et toi, je veux vous remercier. Cette fois, vous n'essayez pas de me retenir de force. Ni d'influencer mes choix. Pourtant, je vous attendais au tournant et je m'étais préparée à vous résister.

— Cela n'a pas été facile pour nous, reconnut Gaby. Tu n'as pas idée à quel point.

— Si, je crois que je commence à avoir une petite idée. Un jour, peut-être...

— Qu'essaies-tu de dire, Charlotte ? demanda André, qui semblait déjà connaître la réponse.

— Un jour, peut-être, Dev et moi déciderons de suivre les traces de la famille. Qui sait ? Plus rien ne semble impossible, maintenant.

— Charlotte ! s'exclama Gaby, bouleversée de joie.

— Ne t'emballe pas ! J'ai bien dit « peut-être ».

— Nous comprenons, lui assura André. N'est-ce pas, Gaby ?

— Oui, oui, répondit Gaby en fermant les yeux. Cela nous ferait à tous un immense plaisir, mais je te jure que je n'insisterai pas.

Dev prit la main de Sharlee.

— Il est temps de partir, ma chérie.

— Nous devons parler d'une dernière chose avant ton départ, dit rapidement Gaby. Ton argent, Charlotte...

— Je n'en veux pas. Du moins, pas pour l'instant. Nous n'en avons pas besoin, ajouta-t-elle en se tournant vers Dev.

— Que devons-nous en faire, dans ce cas ?

— Demande à Crystal de le gérer. Elle qui travaille dans les chiffres, c'est tout à fait de son domaine, et en plus elle est de la famille.

— Si tu en as besoin, tu le diras ?

— Allons-nous en avoir besoin, chéri ? demanda-t-elle à Dev.

— Je ne pense pas, répondit-il en souriant. Du moins, pas dans un avenir proche. La maison de ma mère est enfin vendue, et nous ne serons pas dans le besoin. Nous serons aussi associés passifs dans le Bayou Café, qui commence à vraiment bien marcher. D'ici à un an, je pense que nous commencerons à faire du bénéfice. Felix est persuadé que ce sera une « mine d'or », ajouta-t-il en imitant son ami.

Sharlee rit de son imitation.

— Tu vois, maman, tu n'as aucune raison de t'inquiéter.

— Puisses-tu dire vrai, ma fille. Mais il est difficile pour une mère de s'en empêcher. Je souhaite seulement que tu sois heureuse. Et que tu viennes me voir — mais je saurai attendre.

Gaby embrassa Sharlee.

— Plus de secrets de famille, lui chuchota-t-elle à l'oreille. C'est une leçon que nous avons tous apprise à nos dépens.

Tous, sauf Margaret Hollander Lyon.

Dans une limousine qui roulait en direction du nord, à peine capable de garder les yeux ouverts tandis qu'une drogue se diffusait lentement dans ses veines, elle se demanda si elle n'avait pas attendu trop longtemps avant de révéler le secret le plus important de tous.

— Le squelette de la famille Lyon n'a pas tout à fait terminé de danser, Paul, murmura-t-elle, alors que sa tête roulait contre la banquette de cuir. Pourvu que j'aie le temps de tout arranger…

Chère lectrice,

Vous nous êtes fidèle depuis longtemps?
Vous venez de faire notre connaissance?

C'est pour votre plaisir que nous avons imaginé un rendez-vous chaque mois avec vos auteurs préférés, vos AUTEURS VEDETTE *dans les collections* Azur *et* Horizon.

Les AUTEURS VEDETTE *vous donneront rendez-vous pour de nouveaux livres vedette.*

Pour les reconnaître, cherchez l'étoile... Elle vous guidera!

Éditions Harlequin

Composé et édité par les
éditions Harlequin
Achevé d'imprimer en février 2006

à Saint-Amand-Montrond (Cher)
Dépôt légal : mars 2006
N° d'imprimeur : 60014 — N° d'éditeur : 11935

Imprimé en France